D1215788

LES DERNIERS FEUX DE LA BELLE ÉPOQUE

MICHEL
WINOCK

LES DERNIERS FEUX DE LA BELLE ÉPOQUE

CHRONIQUE CULTURELLE D'UNE AVANT-GUERRE
1913-1914

ÉDITIONS DU SEUIL
25, BD ROMAIN-ROLLAND, PARIS XIVᵉ

La plupart de ces chroniques ont fait l'objet d'une première
publication dans le magazine *L'Histoire* entre janvier 2013
et juin 2014. Nous les reprenons ici dans une version enrichie.

ISBN 978-2-02-113758-3

www.seuil.com

INTRODUCTION

INTRODUCTION

Écrire la chronique d'une avant-guerre – en l'occurrence celle de 1914 – échappe difficilement à la perversion téléologique : le titre même évoque l'événement catastrophique qui va bouleverser le monde, et l'Europe au premier chef. Or, si nous, aujourd'hui, savons que la guerre mondiale a eu lieu, personne en 1913 et dans les premiers mois de 1914 n'avait conscience d'une fatalité. Quant à ceux qui la prévoyaient, jamais ils n'ont pu supposer la nature apocalyptique qu'elle prendrait. De là résulte cette difficulté du chroniqueur : ne pas relater les mois qui précèdent le conflit armé comme s'il était inévitable dans la tête des contemporains de Raymond Poincaré. En même temps, il serait malvenu, de sa part, de ne pas pointer ici et là des signes, des attitudes, des paroles et des écrits qui annoncent, sans prévoir ni l'heure ni le jour, le grand carnage.

Mon souci était donc de me rapprocher le plus possible des acteurs que je présente en m'efforçant d'ignorer la suite, la chute dans la formidable tuerie dont la France s'est difficilement remise – si elle s'en est jamais remise. Je n'ai pas voulu réécrire une énième relation des événements politiques et diplomatiques qui ont jeté l'Europe en enfer. Il m'a paru plus original de saisir le mouvement culturel de ces années-là, pour bien mettre en évidence justement que, si la guerre a bien eu lieu, elle ne faisait pas partie dans l'esprit public de ces nécessités que rien ne peut abolir. En 1913, et même en 1914, jusqu'au bris du sceau de la paix internationale, on a vécu dans ce qu'on pourrait appeler l'inconscience – un mot que seul notre savoir postérieur autorise. Il faut donc faire preuve d'imagination : la guerre de Troie, pour plagier Giraudoux, pouvait ne pas avoir lieu. Mieux, aux yeux de beaucoup, elle n'était guère imaginable. On peint, on écrit des pièces, on fait des romans, on applaudit à l'Opéra, on goûte les joies de la bicyclette et, pour les plus aisés – une minorité, certes, mais ils donnent le ton –, les sensations de l'automobile, celles plus récentes de l'aviation.

Ce récit a d'abord été publié en feuilleton dans *L'Histoire*, mois par mois, dans un format forcément réduit, que j'ai débordé dans cette version livre, sensiblement étoffée. Cette chronique ne vise pas l'exhaustivité des événements dits culturels ; elle procède d'un choix, lui-même tributaire d'un calendrier. Certains mois se révèlent stériles, d'autres foisonnants, et ce qui a été retenu dans ce cas n'échappe pas à la subjectivité. Tout de même, je me suis efforcé de justifier, au moins à mes propres yeux, l'attention portée à tel fait ou à tel acteur. Mais cette justification ne s'accorde pas forcément, il faut en convenir, avec le souci d'ignorer la suite de l'histoire. Ainsi, en choisissant, pour le mois d'avril 1913, la publication d'*Alcools* de Guillaume Apollinaire, il n'est pas douteux que le prestige à venir du poète a pesé, plus que le nombre d'exemplaires vendus de son recueil. À s'en tenir à la réception contemporaine, au retentissement des événements inscrits dans les annales de la littérature, de la musique, des beaux-arts et des sports, il est certain que cette chronique eût été différente. Les historiens ne peuvent complètement effacer, malgré leurs résolutions, le travail de la postérité. Toutefois, afin de ne pas fixer ces récits dans les productions de l'élite – et en particulier de l'élite parisienne –, j'ai fait leur place aux grands héros de la littérature populaire, comme Arsène Lupin, ou du cinématographe, comme Fantômas, aux champions des stades et aux as de l'aéronautique, qui ont soulevé les ferveurs populaires.

La principale lacune de cette chronique est d'avoir été limitée à la France. L'étendre au-delà des frontières se heurtait à des obstacles pratiques. Il m'a paru préférable de focaliser sur un seul pays, pour éviter l'effet répertoire. Mais n'oublions pas que la France d'avant 1914 donne le ton des activités culturelles en Europe. De partout, écrivains, peintres, musiciens accourent à Paris, Ville Lumière sans doute à son apogée, et qui résonne de tous les courants de la culture mondiale. Si le terme de «Belle Époque» a quelque sens, ce n'est pas en raison des conditions de vie des Français, des lois sociales, d'un essor démographique – toutes choses sur lesquelles on peut douter que ces premières années du XXᵉ siècle ont été belles. Mais Belle Époque, oui, dans le domaine de la création artistique, littéraire, musicale, scientifique et technique, dont l'avant-guerre 1913-1914 est le point d'orgue[1].

---

1. Il m'est arrivé d'écrire : « Il existe deux clichés sur les années de la "Belle Époque" : l'un est que ce fut une belle époque ; l'autre est que cette époque prétendue belle ne fut pas belle du tout, en tout cas certainement pas pour tout le monde. » (*La Belle Époque. La France de 1900 à 1914*, Perrin, « Tempus », 2003, p. 9).

1913

ALSACE

Mme Réjane

GRAND FILM PATRIOTIQUE
de M.M^{rs}
Gaston LEROUX
et
Camille DREYFUS

CINÉDRAMA
PAZ
PARIS

PUBLICITÉ WALL, 14, Rue Lafayette, PARIS

1913
JANVIER

ALSACE !
ALSACE !

Affiche du film *Alsace*
adapté de la pièce de théâtre de Gaston Leroux et Lucien Camille en 1916.

L e 10 janvier 1913, le théâtre Réjane, rue Blanche, a convié le Tout-Paris à la première d'une pièce de Gaston Leroux et Lucien Camille, dont le titre bref claque comme un garde-à-vous : *Alsace!* L'événement est quelque peu insolite. Le plus connu des deux auteurs, Gaston Leroux, le créateur de Rouletabille, le feuilletoniste du *Mystère de la chambre jaune,* n'a pas habitué la galerie aux élans de la Revanche – car il s'agit bien dans cette pièce d'exalter le caractère français de la province perdue et son âme inconciliable avec l'esprit tudesque. Et puis, cette Réjane, qui a acheté son théâtre en 1906, pouvait-on s'attendre qu'elle l'ouvre à cette pièce-là? De son vrai nom Gabrielle Charlotte Réju, la comédienne devenue Réjane passait pour la « reine du Boulevard », une rivale de Sarah Bernhardt, mais dans le genre comique. Rien de nationaliste chez elle; même, dès 1898, elle avait donné son nom à la campagne dreyfusarde. Il faut bien qu'il y ait quelque chose de nouveau dans l'air pour que l'inventeur du Sherlock Holmes français et la grande interprète du vaudeville s'allient dans cette entreprise.

La pièce, qui raconte l'histoire d'une famille alsacienne sous le IIe Reich, soutient une thèse : les Alsaciens, Français invétérés, sont inassimilables par le vainqueur de 1871. Le drame se déroule à Thann, où le fils de la famille, Jacques, a été retenu par l'amour d'une jeune fille allemande, Marguerite Schwartz. La mère, Jeanne Orbay – incarnée par Réjane elle-même – fait partie des exilés volontaires qui ont choisi de rester français. Or elle est de retour à Thann dans le désir d'empêcher son fils d'épouser l'Allemande. En vain. La suite révèle l'erreur profonde de cette union : il est impossible à Jacques de s'intégrer dans cette belle-famille dont le langage, les idées, les coutumes, les goûts, la lourdeur sont à l'opposé de sa personnalité. Tombé dans la germanité, il étouffe d'une évidence : il est français. Or le voici au pied du mur. La guerre menace, l'ordre de mobilisation est donné. Que faire ? Résigné, il se laisse convaincre par Marguerite d'accomplir son « devoir », combattre pour l'Allemagne. Cependant, à peine sorti dans la rue, il entend insulter la patrie de sa mère. Effrayé, indigné, il réplique d'instinct par un cri : « Vive la France ! », qui lui vaut d'être frappé à mort. Dans une dernière scène pathétique, Mme Orbay veut faire entendre à Marguerite de n'avoir pas d'enfants de Jacques ; à sa belle-fille étonnée elle explique avec véhémence : « Parce qu'il y a des affinités qui ne s'accordent jamais, ni par l'amour, ni par le mariage, ni par les enfants ! Parce que vous êtes allemande et parce qu'il est français. » Là-dessus surgit Jacques, mortellement blessé, qui vient expirer dans les bras de sa mère.

Elle s'exclame alors, avec une solennité empesée: «N'y touchez pas, il est à moi, je l'ai reconquis!»

À ces mots, ce soir-là, une femme dans la salle s'est évanouie. L'émotion est à son comble; les bravos fusent; c'est un triomphe. Les journaux saluent et commentent. *La Presse*: «Saisissant symbole de l'irréductible conflit des deux races ennemies.» Gaston Leroux avait exposé lui-même cette théorie: «Les deux races vivent à côté l'une de l'autre sans se mêler, et quand, par hasard, cédant à une rare fatalité, elles essayent de le faire, il y a conflit: d'où *Alsace*.» Formule reprise par *Le Gaulois*: «C'est l'opposition des deux races qui tendent à se rapprocher, mais se heurtent à un obstacle infranchissable, l'Alsace-Lorraine, qui se dresse entre elles comme une muraille sans pitié.» Le succès de la première est confirmé dans les semaines qui suivent; Réjane décide, pour répondre à la demande, de donner *Alsace* en matinée tous les jeudis.

Il y eut toutefois quelques couacs dans ce concert. Paul Léautaud, qui tient la chronique «Théâtre» au *Mercure de France*, sous le pseudonyme de Maurice Boissard, se gausse d'une «pièce de la plus basse inspiration». Séverine, dans *Gil Blas*, se révolte: «N'est-il pas assez de sujets d'inquiétudes? N'a-t-on pas un devoir d'apaisement, tout au moins de ferme prudence? Je ne veux pas rajeunir – fût-ce de quarante-deux ans! L'humanité a besoin d'autre chose que de discordes, que de prétextes à haine, et que de sang versé!»

Il faut pourtant en convenir, la guerre balkanique, éclatée en octobre 1912 et dont le règlement reste incertain, a provoqué un climat de tension internationale, avivé la crainte d'un nouveau conflit, dans lequel l'Allemagne serait encore l'ennemi principal. On peut lire dans *La Petite Illustration*, qui publie la pièce de Leroux: «L'éveil de patriotisme auquel nous assistons en France depuis quelque temps va toujours croissant, s'amplifiant, embrasant nos horizons...» Et d'ajouter: «comme une aurore au début d'une journée qui promet d'être magnifique».

Au cours de ce même mois de janvier 1913, Raymond Poincaré est élu président de la République contre Jules Pams, le candidat de Clemenceau et de la gauche républicaine. Cette élection est accueillie par une ferveur insolite. Un parterre de patriotes excités entonnent *La Marseillaise*, crient «Vive Poincaré!» et «Vive la Lorraine!» sous les fenêtres de l'élu. Poincaré, de bonne grâce, paraît au balcon de son petit hôtel et, au milieu du silence que son apparition a provoqué, s'écrie: «Je vous remercie, messieurs, de cette manifestation dont je suis profondément touché, mais ne criez pas: "Vive Poincaré!" Criez: "Vive la République!" » Passant pour «l'homme de la réconciliation nationale», Poincaré rassure: «Les destinées de la France sont entre de bonnes mains. »

Alsace poursuit sa belle carrière au théâtre Réjane. Un colonel de cuirassiers y emmène ses troufions: «Ces braves défenseurs de la patrie, lit-on dans *Le Matin*, ont pris le plus vif plaisir à la belle pièce de MM. Gaston Leroux et Lucien Camille, et n'ont pas ménagé leur grande admiration à Mme Réjane, toute frémissante de la plus sublime ardeur patriotique.»

Le réarmement des esprits est à l'ordre du jour.

LA " COLLINE INSPIRÉE "

De plus en plus M. Maurice Barrès, qui est Auvergnat, désire qu'on le tienne pour Lorrain. Il sait que cela ne saurait ajouter rien à son talent qui est considérable, mais il veut, par là, renforcer sa logique qui est singulièrement défaillante :

Cet apôtre de l' « égotisme », c'est-à-dire

HPG

du Moi exalté et par conséquent de l'individualisme anarchique, a tout à coup, par un miracle d'inconséquence, prétendu trouver

1913
FÉVRIER

BARRÈS
SUR LA
COLLINE

Caricature parue dans *L'Humanité*
le 21 février 1913 : « M. Maurice Barrès, qui est Auvergnat,
désire qu'on le tienne pour Lorrain. »

Une mèche légendaire, une épée d'académicien, un siège au Palais-Bourbon, rien ne manque à la célébrité de Maurice Barrès, et l'on comprend qu'en février 1913 son dernier livre, *La Colline inspirée*, fasse la une des grands quotidiens. Un roman singulier, étrange même, qui déconcerte bien des lecteurs, mais qui est vanté comme un chef-d'œuvre de style et de sensibilité poétique.

Barrès, le boulangiste, le chantre du nationalisme anti-dreyfusard qui, au moment de l'Affaire, avait fustigé les juifs, les protestants et les intellectuels, a pris du recul. Son ami Charles Maurras n'a pu le convertir à l'idée monarchique et n'a pas davantage réussi à l'associer dans sa haine du romantisme: «Vous formez, avait dit Barrès au maître de l'Action française, de durs petits esprits, qui mépriseront trop profondément les Gautier, les Baudelaire, etc. [...] Ah! Maurras, fils de Mistral, de Dante, de Virgile et d'Homère, vous ne pouvez pas savoir combien j'attache de prix à un certain *Faust*, traduit par Gérard de Nerval et illustré follement, délicieusement par Delacroix.»

La passion nationale qui l'habite a pris ses distances avec l'esprit partisan. Ce n'est pas une *partie* du passé qu'il vénère, mais l'histoire totale de la France, y compris la Révolution et l'Empire. Lu, écouté, admiré, répandu dans la presse, il est devenu le grand écrivain conservateur et le vigile sentimental du catholicisme établi. Incrédule (son adversaire Jaurès le supplie ironiquement de faire ses Pâques), il mène campagne depuis janvier 1911 pour sauver les églises chrétiennes de la ruine, aggravée par la loi de Séparation. Qu'on le comprenne bien : il ne prend pas le point de vue confessionnel, il ne parle pas au nom des catholiques car il est «un fils de l'Université» : «En défendant nos églises, c'est notre civilisation, notre formation héréditaire que je défends, le plus riche trésor matériel et spirituel.»

Or le voici qui écrit un livre dont les héros sont des hérétiques. À l'origine, une histoire vraie, révélée dans son enfance, qui sert d'intrigue à l'expression d'un double sentiment, son attachement à la Lorraine et la place qu'il donne à l'esprit religieux dans la constitution d'une identité. «Il y a des lieux, écrit-il, où souffle l'esprit. La Lorraine possède un de ces lieux inspirés. C'est la colline de Sion-Vaudémont, faible éminence sur une terre la plus usée de France, sorte d'autel dressé au milieu du plateau qui va des falaises champenoises jusqu'à la chaîne des Vosges.»

Cette colline a été successivement une acropole celtique, où l'on célébrait le culte de la déesse Rosmertha, un sanctuaire gréco-romain, avant de devenir un pèlerinage à la Vierge Marie, Notre-Dame de Sion. C'est autour de ce haut lieu que s'est créée l'âme de la Lorraine. C'est là que se situe l'origine de l'histoire des frères Baillard, ces trois prêtres qui, en grands bâtisseurs et en entrepreneurs mystiques, avaient entrepris de restaurer les pierres du sanctuaire détruit sous les orages de la Révolution. Ils fondent des communautés et des œuvres alentour, achètent terrains et bâtiments grâce à des quêtes dont sont chargés les novices, amassent de l'argent sans savoir le gérer et tombent finalement sous la férule de l'évêque, qui met fin à leurs entreprises.

En quête de vérité, et mû sans doute par le ressentiment, l'aîné des trois frères, Léopold, trouve son chemin de Damas en Normandie, à Tilly-sur-Seulles, où prêche Pierre-Michel Vintras – un mystagogue, un hérétique, un excommunié, qui annonce, contre l'Église corrompue, l'avènement du Saint-Esprit. Fasciné, devenu un apôtre de l'illuminé, Léopold convainc ses frères de fonder une secte, dont les tribulations et les turpitudes provoqueront leur condamnation. Ce n'est qu'*in fine* que Léopold, au grand soulagement des lecteurs catholiques, rentrera dans le rang, avant de mourir.

Ce roman pourrait être une fable morale inspirée par l'orthodoxie catholique. Barrès, de fait, ne manque pas d'insister sur la nécessité pour l'ordre public d'une discipline et d'une hiérarchie et, ajoute-t-il, «en France, la religion ne peut recevoir cette discipline salutaire et nécessaire que de Rome». Certes! Mais tout au long, l'auteur peint son héros principal avec des traits de sympathie évidents, en héritier enthousiaste du caractère lorrain, auquel il trouve «un tempérament superbe, une sorte de génialité». Oui, il a tort, Léopold, et on a eu raison de le briser, mais Barrès a voulu montrer «ce qu'il y avait de noble en lui». De sorte que, malgré sa conclusion on ne peut plus orthodoxe, *La Colline inspirée* sent quelque peu le fagot.

Barrès, qui a conçu sa doctrine de la Terre et des Morts, jette la lumière sur la continuité qui, de siècle en siècle, a forgé une identité locale, comme elle a forgé d'ailleurs une identité nationale. Avant le christianisme, il y avait eu une histoire religieuse, une histoire de « barbares » si l'on veut, mais qui ne faisait pas moins partie génétiquement de chacun. Dans une interview donnée au *Temps*, le 17 février 1913, il s'exclame : « Comme c'est beau, ce visionnaire ultra-catholique qui devine, qui aime confusément ses propres racines qui le rattachent à un passé non encore chrétien ! » Aussi Gustave Lanson dans sa chronique du *Matin* est-il en droit de constater que : « Rome n'est pas donnée comme la vérité, mais comme la discipline. » Le critique de *La Croix*, quant à lui, fait bonne figure grâce à la fin du roman, mais il aurait aimé que cette leçon n'attende pas l'épilogue pour s'affirmer « encore plus nette et plus formelle ».

L'Humanité, quotidien du parti socialiste, plutôt que de mettre en lumière les fragilités d'une orthodoxie catholique chez l'auteur de *La Colline inspirée*, préfère broder sur les défaillances de sa logique : « Comme les bossus qui, ne pouvant ne pas l'être, se déclarent fiers de leur bosse, M. Barrès se pare avec coquetterie de ses effarantes contradictions. Égoïste jusqu'à l'excès, il se fit patriote ; antiparlementaire avec affectation, il quête avec persistance le mandat législatif ; las et découragé, plus encore que décourageant, il se fit professeur d'énergie nationale ; incroyant, il s'érige défenseur des églises. » De surcroît, « M. Barrès qui est Auvergnat, désire qu'on le tienne pour Lorrain ».

Ces professeurs agrégés de *L'Humanité*, pense-t-il, n'y comprennent rien. Ils ont le talent, l'instruction, la culture, mais ils ramènent tout à la raison individuelle – ainsi dénués de ce dont les conservateurs les plus bornés sont inconsciemment pourvus : la *raison collective*. Comme Jaurès leur chef, ils ne parlent que d'avenir, mais c'est le passé qui nous a pétris et permet la cohésion nationale !

1913
FÉVRIER–AVRIL

PÉGUY
CONTRE
JAURÈS

Charles Péguy,
à droite, aux grandes manœuvres au camp de Bréau (Fontainebleau), 1913.
Photographie prise par Claude Casimir-Perier, fils du président de la République
et lieutenant de réserve au 276 R.I., comme Péguy.

e grand débat sur la «loi des trois ans» au début du printemps 1913 (le rallongement du service militaire de deux à trois ans) trouve un écho dans La République des lettres. À la fin de février 1913, Charles Péguy publie dans ses *Cahiers de la Quinzaine* un de ses textes les plus célèbres, *L'Argent*, bientôt suivi, en avril, de *L'Argent suite*. On y trouve un morceau d'anthologie, qu'on peut aussi qualifier de mythologie, sur la société française des débuts de la IIIe République, quand l'écrivain était écolier puis lycéen. Il se souvient avec nostalgie d'un temps où «l'argent» n'avait pas tout corrompu, où la dignité des pauvres était respectée, où les pauvres eux-mêmes se considéraient des gens heureux. Le grand morceau de *L'Argent* est consacré aux instituteurs, à ces maîtres d'école vénérés et aussi à ces «hussards noirs», «ces jeunes hussards de la République», comme il appelle les élèves de l'École normale d'instituteurs, sanglés dans leur uniforme, qui venaient faire la classe en stagiaires dans l'école annexe de l'École normale du Loiret.

Dans cet exercice de mémoration sentimentale, où l'on rencontre le meilleur de l'écrivain, Péguy, d'esprit syncrétique, chante les vertus du double enseignement, celui de l'école laïque et celui du catéchisme. Le maître d'école et le curé, nous dit-il, professaient en sens contraire, mais ce tête-bêche pédagogique avait les meilleurs effets, parce que, au fond, l'homme en blouse et l'homme en soutane apprenaient aux enfants une même morale : « Nous aimions l'Église et la République ensemble, et nous les aimions d'un même cœur, et c'était d'un cœur d'enfant, et pour nous c'était le vaste monde, et nos deux amours, la gloire et la foi, et pour nous c'était le nouveau monde. » Cependant, le lent retentissement de ces deux textes a pour raison principale une hargne, une violence, on peut dire une haine lâchée contre Jaurès.

Péguy avait admiré et aimé Jaurès, dans les années de l'affaire Dreyfus. Justement, à ses yeux, le grand socialiste a trahi le dreyfusisme, devenu entre ses mains un instrument politique. Il n'avait pas pardonné à Jaurès d'être devenu un des piliers du combisme, d'autant que, entre le ministère Combes et la rédaction de *L'Argent*, Péguy était revenu peu à peu au catholicisme de son enfance et que la politique anticléricale du petit père Combes lui était odieuse. Le plus grave, à ses yeux, en 1913, était l'engagement de Jaurès dans un combat pacifiste, une campagne contre la guerre, au moment même où, sous la présidence de Poincaré, sous le gouvernement d'Aristide Briand puis de Louis Barthou, la grande question du jour était le projet de loi sur les trois ans de service militaire, nécessaire parade contre la surpuissance allemande. Six ans après le coup de Tanger, la crise d'Agadir en 1911 avait sonné l'alarme : la France avait le devoir de tout mettre en œuvre pour éviter une nouvelle guerre de 1870, une nouvelle défaite qui, cette fois, signifierait l'anéantissement de la patrie.

Or Jaurès, selon Péguy, avait des appuis considérables, non seulement à la Chambre des députés, socialistes en tête, et même radicaux en partie, mais aussi dans le « parti intellectuel », comme il désigne les professeurs de la Sorbonne et de l'École normale de la rue d'Ulm, d'où il est lui-même issu. *L'Argent* et *L'Argent suite* sont un pamphlet contre les Langlois, les Lanson, les Seignobos, les Lucien Herr, et même contre Lavisse, leur aîné, qui se montre leur complice malgré son extrême prudence politique. Une pétition des universitaires contre la loi des trois ans avait été lancée par Lucien Herr et publiée dans *L'Humanité*, le 13 mars 1913. « L'armée prussienne est peut-être leur adversaire, écrit Péguy, mais l'armée française est certainement leur ennemie. »

Il a sans doute d'autres griefs contre ces mandarins qui n'ont que mépris pour ses œuvres religieuses, qui critiquent ses écrits sous des pseudonymes, qui manigancent pour lui faire refuser toutes les reconnaissances, à commencer par les prix littéraires dont il est régulièrement écarté. Péguy, qui se fâche avec tout le monde, qui a la rancune tenace, qui aime prendre la posture de l'écrivain pur, désintéressé, ennemi des honneurs, des grades et des cérémonies, use de sa verve polémique contre ce parti intellectuel qu'il désigne comme le « parti allemand ».

Il existe bien, à ses yeux, un ennemi intérieur, un allié de l'Allemagne, et le chef de ce parti allemand s'appelle Jaurès. C'était une calomnie. Le chef socialiste était patriote, ses œuvres, notamment *L'Armée nouvelle* parue en 1910, en témoignaient. Mais, outre qu'il professait le remplacement de l'armée régulière par des milices populaires, ce qui laissait dubitatif sur les capacités de la défense, Jaurès mettait tout en œuvre pour que l'union du socialisme français et de la social-démocratie allemande interdise la guerre par une action commune. Or son ami Charles Andler, socialiste et grand germaniste de la Sorbonne, avait mis en garde Jaurès, dans deux articles en novembre et décembre 1912, contre le parti frère allemand, dont une bonne part était imbibée de nationalisme. Jaurès avait passé outre. Il haranguera les masses, le 25 mai, au Pré-Saint-Gervais, contre la loi des trois ans. Plusieurs semaines avant le grand meeting, Péguy exprimait sa rage contre «ce tambour-major de la capitulation». Et il opposait «ce gros bourgeois parvenu, ventru, aux bras de poussah» à «un homme qui travaille».

Dans *L'Argent suite*, reprenant sa vindicte contre les sorbonnards (à l'exception de «M. Andler»), il bat le rappel: «Je ne dis pas que l'on est forcé de croire que l'on aura la guerre, mais je dis que c'est une folie de *garantir* qu'on ne l'aura pas.» D'où suit sa terrible imprécation contre le leader socialiste: «Je suis un bon républicain. Je suis un vieux révolutionnaire. En temps de guerre, il n'y a plus qu'une politique, et c'est la politique de la Convention nationale. Mais il ne faut pas se dissimuler que la politique de la Convention nationale, c'est Jaurès dans une charrette et un roulement de tambour pour couvrir cette grande voix.»

Malgré cette outrance, les brûlots de Péguy de 1913 posent un problème politique irréductible à ses rancunes et dont le débat sur la loi des trois ans constitue le cœur: dans la guerre qui vient, dans la guerre que Péguy pressent inévitable, la France aura-t-elle les moyens matériels et spirituels de la résistance ? Mais, s'il faut réarmer, renforcer la force militaire, n'entre-t-on pas dans l'engrenage d'une course aux armements rendant la guerre certaine ? Jaurès n'a-t-il pas raison de jouer le tout pour le tout pour l'éviter ? Mais Jaurès n'a-t-il pas tort d'abandonner à son optimisme la lucidité nécessaire à la défense du pays face à la volonté de puissance du Reich ?

Le pamphlet de Péguy retentit dans un climat de renouveau nationaliste. En cette même année 1913 on lit *Les Jeunes Gens d'aujourd'hui*, l'enquête d'Agathon – pseudonyme commun d'Alfred de Tarde et d'Henri Massis, ce dernier proche de Péguy. Leur enquête, très sélective, annonçait la naissance d'une nouvelle génération, patriote, anti-allemande, catholique, sportive et militariste : « La guerre, y lisait-on, a repris un soudain prestige. C'est un mot jeune, tout neuf, paré de cette séduction que l'éternel instinct belliqueux a revivifié au cœur des hommes. » Écho à la lettre de Péguy à Alexandre Millerand, devenu ministre de la Guerre : « Puissions-nous avoir, sous vous, cette guerre qui, depuis 1905, est notre seule pensée. » Au même moment paraît *L'Appel des armes*, un roman d'Ernest Psichari, qui exalte le service sous les drapeaux, contre son père le maître d'école aux idées pacifistes.

On ne saurait généraliser cet état d'esprit, dont Charles Péguy a été le héraut le plus en verve. Le nationalisme n'est pas majoritaire, les élections de 1914 le confirmeront. Toutefois, bien des signes apparaissent d'une nouvelle conscience patriotique, on peut dire d'un nouveau nationalisme.

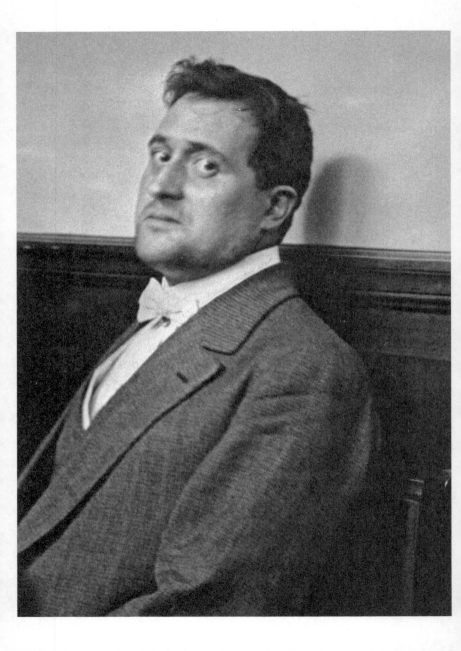

1913
AVRIL

ALCOOLS

Apollinaire
pendant son procès pour complicité de vol avec l'aventurier belge Pieret,
novembre 1913.

É crire une chronique d'avant-guerre bute sur un paradoxe. Le mot même d'*avant-guerre* suppose un regard *a posteriori*, alors qu'on voudrait s'introduire par empathie dans la tête des gens et dans les paysages d'une certaine époque, en être leur observateur *contemporain* ignorant la suite des événements. La guerre, la Grande Guerre, focalise notre regard, comme si chacun l'attendait, la prévoyait, la préparait. Il n'en est rien, évidemment. Si l'obsession de la menace allemande est bien présente dans les journaux et les discours, tout le monde ne la partage pas. Tenter d'être au plus près des réalités de l'avant-massacre, c'est aussi évoquer ce qui ne l'annonce pas, qui ressortit aux travaux et aux jours d'une paix supposée si bien établie qu'on ne prend garde aux alarmes d'un Charles Péguy ou d'un Raymond Poincaré.

Le monde des artistes et des écrivains échappe largement

aux crispations d'une «avant-guerre». C'est le cas d'Apollinaire, qui publie en avril 1913, son grand recueil de poèmes, *Alcools*. Appelé à la célébrité, il n'est alors tiré qu'à quelque cinq cents exemplaires et la grande presse ne s'en fait guère l'écho. Le frontispice de l'ouvrage est orné d'un portrait cubiste d'Apollinaire dû à Picasso, qui témoigne de la familiarité du poète avec l'univers de la peinture. Les toiles de Picasso ou de Braque, les *Préludes* de Claude Debussy, le théâtre d'Henry Bernstein ou *Les Copains* de Jules Romains, une immense production littéraire et artistique échappe à la hantise de la guerre.

Alcools n'est pourtant pas hors du temps. La pièce qui l'ouvre, «Zone», peut passer pour un hymne à la modernité: «*À la fin tu es las de ce monde ancien...*» Le poète n'hésite pas à user des termes les plus prosaïques: «directeurs», «ouvriers», «sténo-dactylographes» ou «rue industrielle». On y rencontre les «pauvres émigrants», ceux qui «espèrent gagner de l'argent en Argentine» et ceux qui restent ici, «rue des Rosiers ou rue des Écouffes dans des bouges». Il ne faut pourtant pas s'y tromper, *Alcools* est avant tout le long poème des amours malheureuses du poète, qui renoue avec l'élégie.

Né à Rome, fils naturel d'un père italien qui a pris la poudre d'escampette et d'une mère polonaise, Angelica de Kostrowitzky, qui se fait passer pour une rentière d'origine russe, Guillaume a connu une jeunesse bourlingueuse: Monaco, Cannes, Nice et, toujours derrière cette mère fantasque, Aix-les-Bains, Lyon, Stavelot, près de Spa... Avec son frère Albert, il se transporte de ville en ville jusqu'au moment où ils s'installent à Paris. À la recherche d'un emploi, Guillaume est «nègre» d'un feuilletoniste, secrétaire d'un cabinet boursier, fréquente autant qu'il peut les bibliothèques, commence à écrire. À court de revenus, c'est un livre érotique pour un libraire, mais il commence aussi un roman.

Sa vie privée le submerge, dont *Alcools* portera des fruits. Engagé en 1901 comme précepteur par la vicomtesse de Milhau, d'origine allemande, il suit celle-ci et sa fille Gabrielle en Rhénanie, où il tombe amoureux d'Annie Playden, la gouvernante anglaise, qui le rejette. La «Chanson du mal-aimé» traduira sa douleur: «Adieu faux amour confondu/Avec la femme qui s'éloigne/Avec celle que j'ai perdue/L'année dernière en Allemagne.»

Entre-temps, il a composé des contes et des poèmes. Pour la première fois, en mars 1902, il signe «Guillaume Apollinaire» sous une nouvelle, «L'hérésiarque», dans *La Revue blanche*, l'histoire d'un moine excommunié, qui se repaît de sucreries avant de mourir d'indigestion. C'était un début. Apollinaire ne cessera plus d'écrire, contes et poèmes, dans les revues petites et grandes; tente lui-même d'en fonder une, *Festin d'Ésope*, avec quelques amis, mais elle ne vivra que quelques mois.

La rencontre avec Marie Laurencin chez un marchand de tableaux, en 1907, l'entraîne dans une nouvelle liaison sentimentale qui va inspirer à son tour maint poème d'*Alcools*. Par elle il est introduit dans le milieu des peintres et se fait bientôt critique d'art, défenseur de la nouvelle peinture: Matisse, Picasso, Braque, Derain, Van Dongen, et bientôt le Douanier Rousseau, qui le peint dans *La Muse inspirant le poète*. Devenu chroniqueur artistique à *L'Intransigeant*, son nom commence à être connu. En 1910, il manque de peu le prix Goncourt avec *L'Hérésiarque et Cie*, qui réunit des contes, dont une bonne partie avait déjà paru.

Le nom de Guillaume Apollinaire défraye quelque temps la chronique à la page des faits divers, en 1911. Il passe pour complice de vols de statuettes au musée du Louvre, dont s'était vanté un aventurier belge, un dénommé Pieret, qu'on soupçonne aussi du récent vol de *La Joconde*. Guillaume avait hébergé Pieret; il se retrouve sous les barreaux de la Santé: «Tu es à Paris chez le juge d'instruction/Comme un criminel on te met en état d'arrestation.» Amer souvenir, d'autant que, dans la presse chauvine, on dénonce l'étranger. Urbain Gohier, xénophobe et antisémite, pourfend dans *L'Œuvre* un métèque doublé d'un pornographe.

Dans ses *Peintres cubistes, méditations esthétiques*, paru juste avant *Alcools*, il fait l'éloge de Marie Laurencin: «Les femmes apportent dans l'art comme une vision neuve et pleine d'allégresse de l'univers.» Mais c'est encore un amour malheureux qu'il vient de vivre, dont on entend l'écho dans «Zone», «Le pont Mirabeau», «Marie»: «Je passais au bord de la Seine/Un livre ancien sous le bras/Le fleuve est pareil à ma peine/Il s'écoule et ne tarit pas/Quand donc finira la semaine.»

Dans ce recueil lyrique, neuf pièces composent les *Rhénanes*, qui ont dû titiller les plus germanophobes de ses lecteurs. Il les rapporte de son séjour malheureux en Allemagne. Ces *Rhénanes*, écrites en 1901 et 1902, sont en quelque sorte ses *Rheinlieder*, témoignant de l'influence du romantisme germanique sur son esprit cosmopolite. Ce ne sont pas les plus belles poésies d'*Alcools*, mais elles sont imprégnées du «mirage allemand» qu'avant lui le mouvement symboliste avait revendiqué et de cette «âme rhénane» qui correspondait si bien à sa sensibilité. À vrai dire, l'internationalisme des arts et des lettres résiste aux fermetures des frontières. La revue allemande *Der Sturm* publie des textes en français et en italien: «Zone» est à son sommaire en ce mois même d'avril 1913 qui voit paraître *Alcools*. Pour nombre de mélomanes français, Richard Wagner reste un dieu. Dans toutes les grandes villes d'Europe, les cubistes exposent. Marinetti, l'inventeur du futurisme, lance ses manifestes dans toutes les langues. À Paris, Montmartre et Montparnasse sont peuplés de peintres étrangers qui fraternisent avec les Français. Que dit «la chanson de Paris»? Apollinaire répond dans «Vendémiaire»: «J'ai soif des villes de France et du monde/Venez toutes couler dans ma gorge profonde.» Non, la guerre n'est pas dans toutes les têtes!

C'est en corrigeant les épreuves d'*Alcools* qu'Apollinaire supprime toute la ponctuation. Dans un méchant article du *Mercure de France*, du 15 juin 1913, Georges Duhamel étrille le poète, qu'il traite de «brocanteur»: «M. Apollinaire semble s'être donné à tâche de faire le trust de tous les défauts des défuntes écoles littéraires.» Et que dire de ces deux cents pages sans la moindre virgule! *Les Marges*, sous la plume de Pierre Lièvre, dénonceront, au mois d'août, les mélanges des genres: «Nous voudrions être nettement avertis des moments où il est un pauvre *pèlerin de perdition* qui se plaint, et de ceux où il s'amuse à être *un charlatan crépusculaire* qui gesticule.»

Le monde littéraire garde son autonomie, y compris dans ses aveuglements.

1913
MAI

LE
MASSACRE
DU
PRINTEMPS

Danseuses du *Sacre du printemps*,
création d'Igor Stravinsky par les Ballets russes de Serge de Diaghilev,
chorégraphie de Vaslav Nijinsky, Paris, Théâtre des Champs-Élysées, mai 1913.

L e jeudi 29 mai 1913, la Chambre des députés bruit des premières escarmouches sur le projet de loi des trois ans. Le dimanche précédent s'est tenu le grand meeting du Pré-Saint-Gervais, où Jaurès, hissé sur un camion servant de tribune, le melon et la barbe au vent, la main sur la hampe d'un drapeau rouge, a fait vibrer une foule immense contre la guerre. La presse de droite s'alarme et exhorte le gouvernement à dissoudre la CGT antimilitariste, alors que, dans plusieurs casernes, à Toul, Belfort, Rodez, Mâcon…, se répandent des mutineries de soldats menacés de rester un an de plus sous les drapeaux.

N'importe! La musique garde ses droits. Ce jeudi-là le théâtre des Champs-Élysées, qui vient d'être inauguré avenue Montaigne, s'est empli du Tout-Paris mélomane pour la première du *Sacre du printemps*, qui a pour sous-titre: «Tableaux de la Russie païenne». C'est une nouvelle création des Ballets russes que dirige Serge de Diaghilev et qui, depuis plusieurs années, jouissent de la ferveur du public parisien. Diaghilev a confié la chorégraphie à son danseur Vaslav Nijinski; la musique est d'Igor Stravinsky.

Ce n'est pas par hasard si les Ballets russes entament chaque année leur nouvelle saison à Paris, avant de parcourir l'Europe. La musique française qui brille alors d'un vif éclat, en particulier grâce à Ravel, Fauré et Debussy, attire les musiciens étrangers. La bonne idée de Diaghilev avait été d'intégrer le musicien pétersbourgeois Stravinsky à la création de ses ballets. Celui-ci, en 1910, avait obtenu un franc succès avec *L'Oiseau de feu*. Le musicien russe tisse alors des liens avec Debussy, Ravel, Florent Schmitt, Erik Satie, Puccini, des écrivains comme Jean Cocteau et Paul Morand. En 1911, il triomphe au Châtelet avec *Petrouchka*, qui le consacre désormais au premier rang des musiciens russes sur la scène européenne.

Ce n'est donc pas un artiste inconnu que les amateurs viennent écouter ce 29 mai. L'argument du nouveau ballet est la célébration du printemps par des hommes primitifs qui immolent, selon leur tradition, une jeune vierge au Soleil. Comme l'explique Stravinsky : « La vision d'un grand rite païen, les vieux sages assis en cercle et observant une jeune fille qu'ils sacrifient pour rendre propices les dieux du printemps, et qui doit danser jusqu'à la mort. »

Les premiers succès des ballets étaient dus au chorégraphe Fokine et au merveilleux danseur Nijinsky. Cette fois, Fokine ayant pris congé de Diaghilev, celui-ci a pris le risque de le remplacer par son danseur, mais ses beaux échappés, ses ronds de jambe, ses entrechats n'étaient pas une garantie. Déjà, une année auparavant, la chorégraphie de

Nijinsky pour *L'Après-midi d'un faune*, inspiré par le poème de Mallarmé, avait provoqué au Châtelet l'indignation contre le caractère obscène du spectacle. *Le Sacre du printemps* n'est donc pas présenté en pays conquis. L'hostilité du public dépasse cependant les pires craintes qu'aient pu éprouver Stravinsky et la troupe de Diaghilev.

Dès le prélude, les premiers rires fusent et deviennent contagieux. On plaisante, on siffle, on crie, on rivalise de bons mots. La suite du ballet est quasiment inaudible, bien que Pierre Monteux, dirigeant l'orchestre, reste impassible sous l'orage. Stravinsky, horrifié, quitte la salle pour se réfugier dans les coulisses, tandis que les manifestations se poursuivent, auxquelles répliquent les défenseurs de Diaghilev et de Stravinsky. Derrière Ravel, des jeunes gens défendent la nouveauté : « Génie ! Génie ! » D'Annunzio, présent, crie au « sublime ». Des dames s'indignent, comme cette comtesse de Pourtalès : « C'est la première fois que l'on me manque de respect. » Le vieux Saint-Saëns, drapé dans son classicisme, a préféré partir. Diaghilev croit pertinent d'ordonner aux électriciens d'allumer et d'éteindre successivement la lumière dans la salle. Rien n'y fait, le scandale a eu lieu.

Dans les jours suivants, la presse prend quelque recul avec le hourvari des Champs-Élysées, mais, dans l'ensemble, ne s'en montre pas moins sévère. La chorégraphie de Nijinsky est éreintée, jugée d'une « gaucherie sans limites ». « Déplorable médiocrité », lit-on dans *Le Temps* : « Sous prétexte de montrer les exercices barbares des premiers ancêtres de l'homme, sous prétexte aussi de nouveauté et d'originalité, elle supprime, elle ignore tous les gestes et toutes les formes qui font de la danse un art… » *Le Figaro* : « Voici un étrange spectacle, d'une barbarie laborieuse et puérile que le public des Champs-Élysées accueillit sans respect. » Pour *L'Écho de Paris*, il fut « impossible de ne pas rire ». *Le Gaulois*, plus indulgent, et qui loue sans réserve la belle direction d'orchestre de Pierre Monteux, concède que « ce n'est pas de l'art à la portée de tous, et il ne faut pas s'étonner que cette pensée, cette musique et cette chorégraphie ne soient pas comprises de prime abord ».

Stravinsky ne s'en tire pas mieux que le chorégraphe. Il est vrai que sa musique avait été fort mal entendue en raison du tumulte, mais les critiques s'accordent à peu près sur les mêmes termes : « la musique la plus dissonante et la plus discordante que l'on ait encore écrite », système et culte de la « fausse note », « frottements et grincements les plus agaçants qui se puissent imaginer », musique « ostensiblement cacophonique », « sonorités dénaturées »... Le public et les critiques n'ont pas perçu la correspondance entre cette musique, si dérangeante à leurs oreilles, et la violence du printemps russe qui, écrit Stravinsky, « fait croire au craquement de la terre entière ». *Comœdia* résume la soirée : « Ce ne fut pas le Sacre, mais *Le Massacre du printemps.* »

Les détracteurs sont les plus nombreux, mais Stravinsky reçoit quand même quelques hommages et non des moindres. Celui de Ravel, on l'a dit, mais aussi celui de Debussy qui, troublé par la nouveauté, écrit au Russe qu'il a « reculé les bornes permises de l'empire des sons ». Il a droit aussi à un long article enthousiaste de Jacques Rivière dans *La Nouvelle Revue française* : « Stravinsky opère en musique, avec un éclat et une perfection inégalables, la même révolution qui est en train de s'accomplir, plus humblement et plus péniblement en littérature ; il passe du chanté au parlé, de l'innovation au discours, de la poésie au récit. »

En tout art, la fulgurance de la nouveauté scandalise les

habitudes. Le jamais-vu, l'inouï, le sans-précédent choque trop l'œil ou l'oreille pour ne pas susciter la protestation. Mais l'honnête homme, s'il ne veut pas être la dupe d'une mystification, ne voudrait pas se hasarder à passer pour un esprit borné – c'est ce qu'exprime Pierre Lalo, pourtant sévère, dans son article du *Temps* : « J'ignore si *Le Sacre du printemps* est un chef-d'œuvre ; et le public l'ignore aussi. Mais enfin c'est ce même public qui a raillé et sifflé *Tannhäuser*. Comment ce souvenir et quelques autres pareils ne lui imposent-ils pas un peu de retenue ? »

L'APPEL DE DIEU ET DES ARMES

Ernest Psichari à dos de chameau.
Engagé dans les troupes coloniales en décembre 1905,
l'écrivain passe une grande partie de sa carrière militaire en Afrique ;
il meurt sous les feux allemands, en Belgique, le 22 août 1914.

Pendant les mois de juin et de juillet 1913, la discussion du projet de loi des trois ans mobilise ses partisans et ses adversaires. Anatole France, présidant le banquet commémoratif du transfert des cendres d'Émile Zola au Panthéon, prononce un discours virulent, en faisant allusion aux protagonistes de l'affaire Dreyfus : « Les ennemis de la justice et de la vérité changent si peu qu'ils sont toujours facilement reconnaissables. Tels ils étaient pendant l'Affaire, tels nous les retrouvons aujourd'hui. Ce sont toujours ces fauteurs de désordre et de haine, ces semeurs de panique, ces artisans de désastres, ces agents de provocations, d'agitation et d'attentats, ces tartufes du patriotisme, tous prêts encore à nous assassiner avec un fer sacré. »

La comparaison est approximative car, parmi ces « tartufes du patriotisme » (en clair : les défenseurs des trois ans), on compte d'ardents dreyfusards comme Clemenceau, Joseph Reinach, Charles Péguy et son ami Ernest Psichari. Au demeurant, la majorité des intellectuels, les universitaires surtout, soutiennent Jaurès et le Parti socialiste dans sa lutte contre la loi. Le meeting, qui se tient au début de juin, au Manège du Panthéon «contre la réaction nationaliste» et «contre les trois ans», est présidé par le sociologue Marcel Mauss, avec le concours de l'historien Charles Seignobos.

L'Appel des armes d'Ernest Psichari, publié en ce mois de juin 1913, nous ramène à la question lancinante de la guerre. Le 20 juin, la Chambre a repoussé massivement le projet de loi sur les milices de Jaurès. Le 23, la seconde guerre balkanique est déclenchée, cette fois entre les Bulgares et les Serbes, qui se disputent la Macédoine et derrière lesquels se profile l'opposition entre la Russie et l'Autriche-Hongrie. Le 30, le Reichstag vote sa nouvelle loi militaire. Le 19 juillet, la Chambre française votera l'ensemble de la loi des trois ans. C'est dans ce contexte fébrile que paraît le roman d'Ernest Psichari, au titre claironnant.

Psichari, petit-fils d'Ernest Renan, a été élevé dans la morale républicaine, laïque et scientiste. Il avait participé aux combats des dreyfusards, puis aux Universités populaires, dans un esprit socialiste. Ami fervent de Charles Péguy, admirateur de Bergson, il avait évolué vers un idéal patriotique, s'était rapproché du catholicisme et avait fini par s'engager dans l'armée en 1903. Dans un livre de 1908, *Terres de soleil et de sommeil*, il avait exalté l'orgueil de la force : «Un peuple fort est celui en lequel l'orgueil de la race ne s'est pas affaibli.» La guerre doit en être l'épreuve : «C'est la grande vendange de la Force, où une sorte de grâce inexprimable nous précipite et nous ravit.»

Dans *L'Appel des armes*, il transpose son conflit personnel avec l'auteur de ses jours dans un affrontement entre son héros, un jeune soldat, Maurice Vincent, et son père, un instituteur pacifiste. Le jeune homme a composé une prière : « Faites que je sois fort, et que je tue beaucoup d'ennemis, et que j'aille ensuite par les déserts, sur des chameaux, dans le perpétuel étincellement de la lumière. Si vous le voulez, Seigneur Dieu, donnez-moi la grâce de mourir dans une grande victoire et faites alors que je voie au Ciel votre splendeur. » Le père, lui, fait partie de la génération de 1880, qui maudit l'alliance du sabre et du goupillon. Au cours d'une permission de Maurice, tous deux s'affrontent. À son père, Maurice oppose ses « chefs » et ses « maîtres », les seuls qu'il écoute. Un dialogue de sourds les sépare : « – Tant que tu persévéreras dans ton erreur, dit l'instituteur, je ne te connaîtrai point et ne t'aiderai point. Va, je suis sûr qu'un jour ou l'autre, tu auras besoin de ton père. »

Péguy, à qui le livre est dédié, parle d'un « admirable roman » et en profite pour faire l'éloge du soldat : « C'est le soldat qui fait qu'on parle français de Dakar à Bizerte et de Brest à Longwy. C'est le soldat français qui fait qu'on parle français à Maubeuge et à Liège et en somme à Mulhouse et à Colmar. Et c'est le soldat français qui fait qu'on parle français à Paris » (*L'Argent suite*). Barrès, admiratif, soutient Psichari à l'Académie pour un prix du roman. Charles Maurras entame un dialogue avec le jeune lieutenant, pour lui dire que, comme lui, il se sent « profondément catholique », mais seulement « en sociologie ». Dommage, certes ! Mais le romancier lui sait gré d'aider l'Église « du grand courant d'idées saines et robustes dont *L'Action française* est la source ».

Le roman de Psichari est cependant loin de faire

l'unanimité. La critique est parfois sévère, comme celle de Gustave Lanson dans *Le Matin*: «On fait son petit Joseph de Maistre: "La guerre est divine." On fait dire au capitaine Nangès, ce pur interprète de la race française: "La force est toujours du côté du droit!" Mais ici on joue de malheur, car cette confusion de la force et du droit est la plus germanique des idées germaniques; et c'est la maxime qui nous oblige, si nous l'acceptons, à ratifier la conquête de l'Alsace-Lorraine.»

Renouveau du catholicisme, foi patriotique, remise en question des «théories abstraites», les valeurs défendues dans *L'Appel des armes*, c'est l'idéal d'une nouvelle génération – à tout le moins d'une partie des étudiants – qui s'est manifestée publiquement, l'année précédente, dans l'enquête d'Agathon – pseudonyme pris par Henri Massis et Alfred de Tarde –: *Les Jeunes Gens d'aujourd'hui*. Les titres de chapitre résumaient l'enquête: «Le goût de l'action», «La foi patriotique», «La vie morale», «Une renaissance catholique», «Le réalisme politique». Manifeste générationnel, l'enquête dénonçait «l'éclipse du patriotisme» de la génération précédente; elle vantait la guerre, école de discipline et d'énergie, célébrait – avant même *L'Appel des armes* – l'aventure du lieutenant d'artillerie Ernest Psichari, «qui abandonna ses cours de Sorbonne et la thèse qu'il commençait sur la faillite de l'idéalisme, pour mener une action française dans la brousse africaine».

Ces convergences trouvent un écho dans le manuscrit d'un roman, *S'affranchir* qui deviendra *Jean Barois*, que Roger Martin du Gard présente au mois de juin 1913 à Bernard Grasset. Son héros, un jeune homme de province, se détache peu à peu du catholicisme; participe fougueusement à Paris aux combats pour Dreyfus; se sépare d'une épouse bigote qui ne lui pardonne pas d'être devenu libre-penseur; crée avec des camarades de même conviction un bimestriel, *Le Semeur*; avant que, malade, désespéré, il ne recouvre la foi de son enfance peu avant sa mort. Pour l'auteur, il s'agissait d'un «roman philosophique», dont la technique innovait par une composition variée : dialogues parlés comme au théâtre, lettres échangées, collage d'articles de journaux, documents insérés – telle une partie de cette 17e journée du procès Zola de février 1898 retranscrite mot à mot.

Grasset lui renvoie le manuscrit accompagné d'un commentaire rédhibitoire : *Jean Barois* n'est pas un roman, c'est un dossier ! et il défiait un lecteur «d'aller au-delà de la centième page». Un jugement sans appel. Loin de se décourager, Martin du Gard adresse son manuscrit à Gaston Gallimard qui, avec Jean Schlumberger, dirige les éditions de *La Nouvelle Revue française*. La première réponse de Schlumberger est très positive : «Vous faites preuve de tant d'équité, vous exposez si loyalement le point de vue adverse, et en même temps vous maintenez le vôtre avec un si calme courage, que l'on vous suit sur ce terrain où les susceptibilités particulières sont si vives...»

Le 3 juillet, la joie de Martin du Gard est à son comble : Schlumberger lui communique une lettre d'André Gide, lui avouant que «dès les premières pages» il a été pris, avant de conclure : «Je reste là *sans critiques* et j'approuve sans restrictions. Celui qui a écrit cela peut n'être pas un artiste, mais c'est un GAILLARD !!» Certes, entendre dire qu'on n'est «peut-être pas un artiste», c'est dur pour un écrivain. Mais Martin du Gard s'en console : les artistes sont des gens qui ont du goût : «J'aime mieux avoir des *couilles* !»

L'un des épisodes du récit est inspiré d'Agathon. Barois, directeur du *Semeur*, a lancé une enquête sur la jeunesse comme tant d'autres. Il en retient notamment les réponses de deux jeunes gens qu'il reçoit et avec lesquels s'instaure le dialogue des générations, celle qui a renoncé au Ciel et celle qui a retrouvé les chemins des autels. Ils se disent républicains, mais se réclament du nationalisme et disent avoir trouvé le cadre, la direction, la discipline nécessaires dans la religion catholique. Barois les écoute, se cabre, les rudoie, mais se heurte à leurs certitudes. Ils en ont fini avec les «méditations fumeuses», ils attendent une Renaissance du nationalisme, du classicisme, d'un ordre qui fera pièce à l'anarchie de la pensée et de la libre-pensée. À «l'affaissement progressif et irrécusable des vieilles vertus», disait *L'Appel des armes*. Et cette renaissance passera par la guerre, parce que «la guerre est divine»; elle purifiera le cœur des hommes.

Cette apologie de la guerre est très minoritaire, mais elle donne au nouveau nationalisme français un accent que ni Barrès ni Maurras n'avaient eu. En octobre, un peu avant la sortie de son ouvrage, Roger Martin du Gard, dans une lettre à un ami, Pierre Margaritis, résume d'un mot le vent qui souffle sous Poincaré: «Nous sommes en pleine réaction.»

0f 95
MAURICE LEBLANC
0f 95
Arsène Lupin
GENTLEMAN CAMBRIOLEUR
PIERRE LAFITTE & Cie

1913
JUILLET

LES CONFIDENCES D'ARSÈNE LUPIN

Arsène Lupin, gentleman cambrioleur,
couverture du roman de Maurice Leblanc illustrée par Léo Fontan,
éd. Pierre Lafitte, 1914.

Au commencement de l'été 1913 paraît le nouveau recueil des récits policiers qui ont rendu célèbre Maurice Leblanc, *Les Confidences d'Arsène Lupin*. Depuis 1905, l'année de son apparition dans *Je sais tout*, le magazine à grand tirage de Pierre Lafitte, l'engouement pour le «gentleman cambrioleur» n'a pas faibli. De conte en nouvelle, de recueil en roman, son créateur, qu'on s'est accoutumé à surnommer le «Conan Doyle français», peut se vanter d'avoir inventé un personnage mythique sans l'avoir voulu.

Au départ de sa carrière d'écrivain, Leblanc nourrissait l'ambition de devenir un continuateur de Maupassant. Né à Rouen, ville prudhommesque qu'il abominait autant que son compatriote Gustave Flaubert, il avait couru sa chance à Paris et publié, en 1890, à compte d'auteur un recueil de nouvelles, *Des couples*, dont l'échec ne le découragea nullement.

La même année, le *Gil Blas* accueillait ses courts récits, légèrement teintés parfois d'esprit anarchique. Mais ses romans psychologiques, Leblanc ne parvient pas à les imposer : après *Une femme* qui n'obtient qu'un succès d'estime, *Les Lèvres jointes* passent inaperçues et son grand roman autobiographique, *L'Enthousiasme*, sorti en 1901, ne provoque ni celui de la critique, restée muette, ni celui du public, indifférent. C'est alors que sa vie a pris un tour qu'il n'avait jamais envisagé.

Leblanc s'était pris de passion pour la bicyclette, dont la vogue gagnait toutes les couches sociales, et qui avait inspiré quelques-uns de ses récits. En décembre 1897, toujours dans *Gil Blas*, il avait publié un texte mémorable, «Voici des ailes!», consacré à la gloire de la «petite reine». Quelques années plus tard, Henri Desgrange, futur inventeur du Tour de France, fondateur du journal *L'Auto-Vélo*, qui deviendrait *L'Auto*, proposa à Leblanc d'y faire paraître des «contes sportifs». Celui-ci hésita. N'était-ce pas déchoir? Lui, le romancier des âmes, devait-il s'abaisser à des pédaliers de vélo? L'offre de Desgrange lui assurait cependant des revenus réguliers ; il accepta et donna en septembre la première de ses nouvelles de plein air sous le titre général : *Contes du soleil et de la pluie*. Quelques-uns de ces récits s'apparentaient à la littérature policière, dont Gaston Leroux était alors le plus célèbre représentant en France. Dans cette veine, poursuivant parallèlement sa collaboration à *Je sais tout*, il donne naissance, en juillet 1905, à un personnage dont il n'imagine pas la destinée, dans une nouvelle intitulée *L'Arrestation d'Arsène Lupin*.

Cette année-là s'était déroulé le retentissant procès d'Amiens, où l'anarchiste Alexandre Jacob, adepte ébouriffant de la «reprise individuelle», avait défrayé la chronique par la liste de ses «exploits» et par sa défense insolente face aux juges : «Son attitude à l'audience, lisait-on dans *L'Illustration*, est extraordinaire. Il raille, il bafoue ses victimes, dont la richesse, dit-il, est une insulte permanente à la misère. Le président ne peut le retenir. C'est un type peu banal, malfaisant, dangereux, mais curieux. Il ironise, plaisante, parfois pas sottement, cynique, jamais à court de réparties, parfaitement indifférent, semble-t-il, aux conséquences de ses actes.» Jacob avait écopé d'une condamnation au bagne à perpétuité, en laissant dans son sillage l'exemple d'un cambrioleur distingué et truculent. Maurice Leblanc en a-t-il été inspiré pour imaginer Arsène Lupin ? Nul ne peut l'affirmer. Il est sûr cependant que Lupin commence sa carrière à un moment où, dans les milieux littéraires, on sympathise avec les thèmes de l'anarchisme, alors que Jacob a remplacé Ravachol dans l'actualité. Le cambrioleur gentleman forçait l'indulgence, voire l'admiration.

L'Arrestation d'Arsène Lupin n'est qu'une nouvelle, à laquelle Leblanc ne songe pas à donner suite. Mais d'emblée Arsène Lupin séduit par son mélange d'imagination fertile et de dilettantisme, ses audaces, ses subterfuges, ses tours de passe-passe et, atout maître dans sa réputation, l'attirance qu'il exerce sur le beau sexe. L'accueil du public est tel que Lafitte presse son auteur d'en redonner : que Lupin s'évade de prison et qu'il nous épate de nouveau ! En novembre 1905, *Je sais tout* annonce : «Une œuvre sensationnelle, appelée à un retentissement énorme : les surprenantes, mystérieuses, inattendues, originales et passionnantes aventures du génial escroc Arsène Lupin, dont l'habileté et la chance infernales dépassent tout ce que nous savions jusqu'ici des tours de force des plus extravagants des grands aventuriers.»

Le personnage prend forme progressivement, et le premier recueil des nouvelles lupinesques paraît en 1907 sous le titre : *Arsène Lupin, gentleman cambrioleur*. On le reconnaît à ceci qu'il est beau, élégant, rusé, fringant, narquois ; qu'il s'en prend aux riches, mais sans tuer personne. En fait, on ne le reconnaît pas, tant il change d'attirail, de nom, d'accoutrement. Son art du maquillage lui fait dire : « Moi-même je ne sais plus bien qui je suis. Dans une glace je ne me reconnais pas. » Il opère dans le beau monde, dont il est, dans le civil si l'on peut dire, coutumier, sous défroques, patronymes et fracs variés. Le lecteur passe de château en hôtel particulier, d'un beau quartier à l'autre, où comtes et duchesses subissent ses indélicatesses de détrousseur, tandis qu'il joue au chat et à la souris avec le roide inspecteur principal Ganimard, toujours mis en échec dans ses poursuites, toujours manipulé et mystifié. S'il est accepté par le public, si les journaux narrent ses prouesses avec sympathie, c'est parce que « ses coquineries sont commises au préjudice de banquiers véreux, de barons allemands, de rastaquouères équivoques, de sociétés financières et anonymes. Et surtout, qu'il ne tue pas ! Des mains de cambrioleur, soit, mais des mains d'assassin, non ! » (*Édith au cou de cygne*).

Le héros de Maurice Leblanc ne lance aucun message politique, en quoi il n'est guère ressemblant à son supposé modèle, Alexandre Jacob, lequel ne manquait pas de laisser sur les lieux de ses forfaits une petite profession de foi libertaire. De même il ne peut être classé au même rang que *Le Voleur*, apparu en 1897, et dont l'auteur, Georges Darien, avait truffé son récit de déclamations anarchistes, non pas contre « la Société, chose vague, intangible, invulnérable, inexistante par elle-même », mais contre les coquins en chair et en os de la finance, les enrichis légaux et les banquiers corrompus. On rencontre seulement chez Lupin un certain antiparlementarisme et les pointes d'un antisémitisme banalisé. En revanche – l'expression s'impose –, il sait se montrer patriote et anti-allemand. Dans *813*, un roman de 1911, il fait chanter Guillaume II à partir de lettres qui l'accusent d'avoir fait mourir son père, jusqu'au moment où, après maintes péripéties, Lupin les lui restitue par grandeur d'âme. Le Kaiser lui propose alors d'entrer à son service : « Je vous offre le commandement de ma police personnelle. Vous serez le maître absolu. Vous aurez tous pouvoirs, même sur l'autre police. » Arsène, qui passe alors pour mort et se trouve entièrement libre, refuse net. Et pourquoi donc ? lui demande l'empereur. La réponse fuse : « Je suis français. » C'est un lien qu'on ne peut dénouer. Un peu plus tard, il s'engage dans la Légion : « Face à l'ennemi, Lupin, et pour la France ! » C'était en 1911, l'année de la crise « marocaine ».

Non, ce n'est pas un message politique qu'il faut chercher dans les aventures d'Arsène Lupin, mais le talent d'un auteur qui tient ses lecteurs en haleine avec l'invention de ses intrigues souvent abracadabrantes, un art du *suspens*, et la personnalité d'un bandit populaire plein de gouaille, de ruse, aussi perspicace que Sherlock Holmes[1], sachant être généreux avec les faibles, désintéressé quand il s'agit de sauver une jeune fille menacée, et qui ressuscite régulièrement d'entre les morts grâce à son courage à toute épreuve. « Extraordinaire », « prodigieux », « déconcertant », « stupéfiant »,

---

1. Non sans audace, Maurice Leblanc avait introduit le célèbre détective britannique dans son feuilleton. Conan Doyle ayant protesté, le patronyme de son héros devint Herlock Sholmès.

chaque épisode laisse le lecteur bouche bée : « Une puissance mystérieuse le protégeait contre toutes les attaques, une puissance qui l'avait déjà sauvé trois fois par des moyens inexplicables, et qui trouverait d'autres moyens pour écarter de lui les embûches de la mort » (*Le Piège infernal*).

Son invincibilité ne tient pas toujours du mystère : Arsène la doit souvent à sa puissance de séduction sur les femmes. Dans son nouveau recueil, il en sauve quelques-unes de la mort ou de l'infamie. Dans *Le Piège infernal*, il réussit même à être sauvé de la mort ou de l'arrestation par son ennemie, une voleuse comme lui, qui tout en le haïssant le délivre :

« – Si vous m'exécrez, il fallait me laisser mourir… C'était facile. Pourquoi ne l'avez-vous pas fait ?

– Pourquoi ? Pourquoi ? Est-ce que je sais ?… »

Irrésistible, ce trompe-la-mort ! On passera avec lui un bon été.

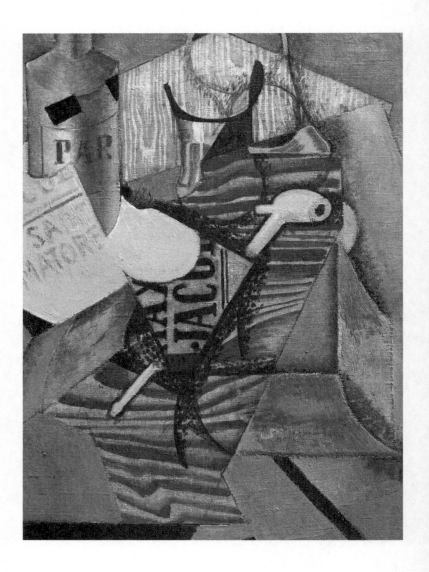

1913
AOÛT

LE BEAU TIERCÉ DE
KAHNWEILER

Juan Gris,
Nature morte au livre, 1913

e marchand d'art Daniel-Henry Kahnweiler signe, en cet été 1913, son troisième contrat de l'année avec un peintre d'avant-garde. Ce fut d'abord Juan Gris, puis Vlaminck, cette fois c'est Fernand Léger. L'année précédente, il avait conclu avec Braque, Derain, Picasso et son compatriote, le sculpteur Manolo. Contre l'exclusivité de la production et la fidélité de l'artiste, Kahnweiler offrait en échange une sécurité matérielle sous la forme d'une mensualité, à valoir sur le capital des toiles qui devaient passer entre ses mains. Délivrés du souci parfois accablant d'assurer leur pitance, les artistes pouvaient se consacrer entièrement à leurs recherches et donner libre cours à leur inspiration novatrice.

Qui était Kahnweiler? Membre d'une famille juive de Stuttgart, il aurait dû suivre la filière de la banque que lui conseillaient ses oncles Neumann de Londres, mais, passionné par l'art et sans vocation boursière, il avait su les convaincre de l'aider à ouvrir une galerie à Paris. Ils lui avaient donné un an pour réussir, lorsqu'il installa sa boutique rue Vignon, près de la Madeleine, en 1907. Son ambition n'est pas l'argent. Admirateur des illustres aînés que sont Paul Durand-Ruel et Ambroise Vollard, il souhaite comme eux être un découvreur de talents, mais il tient aussi à accompagner le travail de ses artistes dans le cadre d'une relation d'amitié et de conseil, de façon à s'assurer leur complicité dans ses positions esthétiques et le choix des prochaines recrues de son «écurie».

Le Paris de ces années de la Belle Époque où s'est formé son goût et a mûri sa vocation est sans conteste la capitale mondiale de l'art vivant. Un souffle de liberté et d'anticonformisme s'est étendu à toutes les formes d'expression, qui a déclenché une formidable créativité et produit en quantité des œuvres d'une diversité et d'une force incroyables. La révolution impressionniste et les mouvements successifs auxquels elle a ouvert la voie connaissent un retentissement international. Attirés par le bruissement de cette prodigieuse activité ajouté à l'éclat de la Ville Lumière, les étrangers affluent de toutes parts.

À commencer par les artistes pour qui le passage par Paris vaut promesse de consécration. Ils accourent des quatre coins du monde en quête de révélation, de clients et de gloire : d'Espagne, Picasso, Juan Gris et la cohorte de leurs confrères ; d'Italie, Modigliani, Chirico, Marinetti, Severini ; Kupka, de Bohême ; Diego Rivera, du Mexique ; Van Dongen et Mondrian, des Pays-Bas ; de Pologne, Kipling et Marcoussis ; Chagall et Survage, de Russie... Venus pour quelques mois, beaucoup s'installent définitivement, vont jusqu'à franciser leur nom, voire demander leur naturalisation.

Les artistes vivent et travaillent à Montmartre, au

Bateau-Lavoir, à la Ruche du côté de Montparnasse, fréquentent l'École des beaux-arts, les ateliers et les académies privées (Moreau, Carrière, Julian…) et bien sûr les musées, les salons, les appartements des collectionneurs, les expositions de leurs amis et de leurs «ennemis». À mi-chemin entre Montmartre et le carrefour Vavin se trouvent les galeries de la rue Laffitte et, depuis l'arrivée de Kahnweiler, celle de la rue Vignon. Cabotant autour de ces balises stratégiques, artistes et modèles, égéries ou compagnes, poètes et écrivains, marchands et collectionneurs font une pause dans les cafés qui sont autant de sanctuaires où l'on sirote, rigole et s'empaille tout en théorisant.

«Paris est le marché du monde et l'on peut y apprendre les principes de l'art et le commerce comme nulle part ailleurs. Nous nous informons énormément en matière d'esthétique et Leo et Gertrude nous font rencontrer des tas de gens sympathiques et intéressants», écrit Sarah Stein, en décembre 1904, à son amie Jennie Rosenthal Ehzman. Toutes les écoles, toutes les tendances et tous les «ismes» de la peinture de l'entre-deux-siècles coexistent en effet dans la capitale française où s'installent les collectionneurs éclairés, principalement étrangers. Il y a d'abord les Américains, les Stein, Leo, Gertrude, Michael et Sarah. Puis viennent les Russes, Sergueï Chtchoukine et Ivan Morozov. Tous profondément cultivés, ils feront des choix d'une rare clairvoyance, constituant des ensembles fabuleux de Cézanne, Renoir, Matisse et Picasso entre autres.

Dans cette effervescence «révolutionnaire», le marché de l'art connaît lui aussi des modifications profondes. Un divorce durable s'instaure entre les tenants de l'art officiel et les novateurs. Contre l'ostracisme des manifestations patentées se multiplient les contre-salons, associations, sociétés et autres structures d'exposition vente. Dans ce panorama contrasté apparaît la figure du grand marchand moderne à mi-chemin du négoce et du mécénat, protecteur des artistes, écrivain, éditeur qu'on pourrait qualifier d'«engagé», que Daniel-Henry Kahnweiler ambitionne d'incarner.

Six ans plus tôt, l'année de son installation rue Vignon, alors qu'il cherche encore sa voie, Kahnweiler reçoit de son ami et compatriote Uhde, parisien d'adoption comme lui et comme lui collectionneur éclairé et galeriste mécène, le conseil d'aller visiter l'atelier de Pablo Picasso à Montmartre. Il se rend donc au Bateau-Lavoir, cette bâtisse malpropre, sans eau courante (le mot «lavoir» est ironique), sans électricité, où vivent et travaillent plusieurs peintres et le poète Max Jacob. Uhde lui a parlé d'une étonnante peinture «assyrienne». Là, dans un amoncellement de toiles et d'objets hétéroclites, il est accueilli par un petit homme râblé, en short, qui le plante devant *Les Demoiselles d'Avignon*. Du jamais vu, du jamais peint! Ceux qui l'ont regardée, cette toile, ont été horrifiés. Vollard est atterré; Apollinaire, interloqué; Matisse, rageur; Derain, incrédule. Le bruit court le pavé de Montmartre : le Pablo des raffinements bleus et roses est devenu fou! L'incrédulité suscitée par cette œuvre et l'isolement auquel elle condamne Picasso sera la chance de Kahnweiler.

Sidéré par sa puissance, il pressent la rupture qu'elle va représenter dans l'histoire de la peinture. Il veut l'acheter; le peintre prétend qu'elle n'est pas achevée, mais lui cède des esquisses préparatoires. De ce moment, Kahnweiler devient son marchand, impatient de s'attacher l'exclusivité des œuvres à venir. *Les Demoiselles* sont un commencement : un mouvement nouveau est né, et qui va s'épanouir dans l'amitié, la connivence et la complicité de Pablo Picasso et de Georges Braque, que Juan Gris portera à un point de perfection. On l'appellera le cubisme et Daniel-Henry Kahnweiler en sera le champion.

L'année suivante, Braque ayant été refusé au Salon d'automne, Kahnweiler a réagi aussitôt en exposant vingt-sept de ses toiles dans sa galerie. Louis Vauxcelles, qui régente la critique d'art, donne un avis, certes négatif, mais qui ne sera pas sans effet : « Il construit, écrit-il de Braque, des bonshommes métalliques et déformés et qui sont d'une simplification terrible. Il méprise la forme, réduit tout, sites et figures et maisons, à des schémas géométriques et à des cubes... » Le mot est lâché, il va faire fortune : le *cubisme* est consacré.

Au demeurant, en 1913, sa nouveauté dérange toujours autant la critique bien-pensante quand elle ne l'arme pas de foudres vengeresses. Camille Mauclair se distingue par ses véhémences : « Un cloaque de toqués et d'indésirables qui, à la fin, dégoûte Paris et appelle la rafle. Parmi les blancs, la proportion des sémites est de 80 % et celle des ratés à peu près équivalente. » La xénophobie, voire l'antisémitisme, inspire souvent ces zoïles de la peinture : « Qu'il y ait un peu trop d'Allemands et d'Espagnols dans l'affaire fauve et cubiste, déclare Vauxcelles en 1912, et que Matisse se soit fait naturaliser berlinois, et que Braque ne jure plus que par l'art soudanais, et que le marchand Kahnweiler ne soit pas précisément compatriote du père Tanguy, et que ce paillard de Van Dongen soit natif d'Amsterdam, ou Pablo de Barcelone, cela n'a guère d'importance en soi... » Mais il faut tout de même le pointer : les métèques gâtent la saine tradition française.

Un critique d'art, cependant, se fait le défenseur des

cubistes, et pas des moindres, puisqu'il s'agit de Guillaume Apollinaire. Le poète joue assurément un rôle important dans la promotion d'une école dont la nouveauté désarçonne. Depuis 1910, il tient une chronique dans un quotidien de grande diffusion, *L'Intransigeant*, où il encourage la nouvelle peinture et prophétise : « Le cubisme est une réaction nécessaire, de laquelle, qu'on le veuille ou non, il sortira de grandes œuvres. » En 1913, sort son ouvrage, *Les Peintres cubistes*, où Picasso, Braque et Juan Gris sont à l'honneur. Pourtant, Kahnweiler n'aime pas le critique d'art Apollinaire. Grand poète, oui ! mais qui, selon lui, ne connaît rien à la peinture. Le juge-t-il trop éclectique ? Trop complaisant avec des peintres que le marchand de tableaux estime de second ordre ? Ou avec ceux qui, comme Metzinger ou Gleizes, disqualifient le mouvement par leur dogmatisme ou leur esprit de système ? En tout cas, l'auteur d'*Alcools*, mortifié par ses réserves, ne lui pardonnera pas.

En cette année 1913, Daniel-Henry Kahnweiler aurait de bonnes raisons d'être optimiste. L'énergie et l'intelligence qu'il a déployées au service de sa passion pour la création artistique sont largement récompensées. Son crédit auprès des artistes et des amateurs les plus exigeants n'a cessé de croître. Il est parvenu à convaincre les uns et les autres de la justesse de ses vues et à imposer la présence des artistes qu'il admire et défend au premier rang de la scène internationale comme en atteste leur considérable représentation à l'Armory Show inauguré en février à New York.

Il ne s'inquiète guère, lui, l'Allemand, des bruits d'une guerre prochaine entre son pays d'origine et la France. L'art a une capitale, mais il n'a pas de patrie.

ROLAND GARROS

FRANCHIT

LA MÉDITERRANÉE

Roland Garros
Photo parue dans le journal *La Vie au grand air* daté du 27 septembre 1913
avec, en haut à droite, le parcours de l'aviateur.

ncroyable! Inoubliable! Extraordinaire! Les superlatifs pleuvent sur Roland Garros, le 23 septembre 1913. Il a réussi la première traversée de la Méditerranée sans escale, de Fréjus à Bizerte, en moins de huit heures. Un exploit qui paraissait impossible: «Casse-cou, Garros!» avait écrit Henri Desgrange, dans son journal *L'Auto*, en apprenant le projet du jeune aviateur. Louis Blériot avait réussi la première traversée de la Manche en juillet 1909: depuis Clément Ader, le pionnier, les aviateurs français décidément faisaient merveille.

Le président du Conseil, Louis Barthou, d'y aller d'un télégramme enthousiaste: «Je suis heureux de vous adresser mes félicitations pour l'exploit audacieux et magnifique que vous avez accompli; il honore à la fois votre courage personnel et l'aviation française.»

À vingt-cinq ans, Roland Garros avait déjà une vie bien

remplie. Fils d'un avocat de la Réunion, il avait vécu ses premières années à Saigon, jusqu'au moment où son père l'avait envoyé faire ses études au collège Stanislas à Paris, puis au lycée Janson-de-Sailly. Sportif, il pratique aussi bien le football que le tennis, mais il est surtout passionné par le cyclisme, au point d'être couronné champion de France interscolaire de vitesse sur piste. Après sa réussite au baccalauréat, il s'inscrit à la faculté de droit, selon le vœu de son paternel, mais, sans ferveur pour les études juridiques, il tente et réussit, parallèlement, le concours d'entrée à HEC. Il ne sera pas avocat ni notaire, mais, à sa sortie de l'école, cadre dans une entreprise commerciale, les Automobiles Grégoire.

La vogue de l'automobile, en ce début de XXᵉ siècle, précède la ferveur des Français pour l'aéronautique. Depuis les dernières années du XIXᵉ, se tient à Paris un salon de l'auto, où l'on dénombre des centaines d'exposants. Des courses comme Paris-Berlin, Paris-Madrid et même Pékin-Paris sont suivies avec une passion neuve ; les records de vitesse tombent régulièrement : dès 1906, l'Américain Marriott dépassait les 200 kilomètres à l'heure. Les accidents de la route se multiplient, ce qui n'empêche pas la vente : à la fin de 1908, le parc automobile français n'était pas loin de 40 000 véhicules. Roland Garros devient alors concessionnaire exclusif des Automobiles Grégoire à Paris, avenue de la Grande-Armée.

Cependant, après l'exploit de Blériot, Garros s'emballe pour l'aviation. Les meetings aériens se succèdent, qui voient rivaliser les appareils Blériot, Farman, Voisin, Wright ou Curtiss. L'aviation est dans son enfance, mais ses progrès sont incessants. En 1905, le record de durée de vol avoisinait 40 secondes, à une quarantaine de mètres d'altitude.

En 1907, Farman battait le record de distance et de vitesse en parcourant 770 mètres en 52 secondes. Le même réussissait l'année suivante le premier vol de ville à ville, de Bouy à Reims, distantes de 27 kilomètres. Relevant le défi du *Daily Mail*, promettant une forte récompense à l'aviateur qui traverserait la Manche, Hubert Latham s'était lancé et avait échoué quelques jours avant la tentative réussie de Blériot.

En quête d'un appareil au meilleur prix, Roland Garros commande une Demoiselle mise au point par la firme Clément-Bayard. Son premier vol s'achève dans le fracas d'une collision. Mais il a du cran. Avec une nouvelle Demoiselle, il connaît l'ivresse de décoller et de voler à quelques mètres du sol. En juillet 1910, il participait à son premier meeting aérien, à Cholet, avant même d'avoir obtenu son brevet de pilote – qui lui est vite délivré. Le voilà entraîné dans une nouvelle vie, pleine de dangers. Il faut compter avec le vent, braver les bourrasques, assumer les pannes, les bris de matériel, et quelle misère quand l'avion sorti du hangar ne parvient pas à décoller! Roland Garros ne ménagera plus ni son temps ni sa peine pour ce que les moqueurs appellent une lubie, mais qui devient sa raison de vivre.

Après avoir fait ses classes, progressé, commencé à gagner des primes dans les exhibitions, Garros est sollicité avec quelques autres aviateurs pour une tournée aux États-Unis. À vrai dire, il n'était pas prévu au programme. Il doit sa chance à l'accident dont les frères Morane sont victimes peu de temps avant le départ pour New York. Au cours de cette longue tournée aux États-Unis, prolongée au Mexique et à Cuba, Garros s'est définitivement aguerri et ses prestations deviennent de plus en plus acrobatiques. Exécutant des numéros audacieux, relevant des défis dangereux, lui et ses camarades bravent les tempêtes, surmontent les pannes, enthousiasment le public, à moins que la foule qui a payé ne devienne menaçante quand leurs avions restent cloués au sol. Il y a des ailes qui se détachent, des hélices qui se brisent, parfois des accidents mortels, mais, troquant sa Demoiselle pour un Blériot, Garros affiche une détermination et une énergie qui font merveille.

De retour en France, fini le cirque! Il s'engage dans des courses en ligne, d'abord le Paris-Madrid, organisé par *Le Petit Parisien*. Cette fois, il fait partie de l'équipe Blériot. Parti d'Issy-les-Moulineaux dans les premiers, il apprend à l'étape d'Angoulême qu'un accident terrible a eu lieu. Émile Train qui a décollé en huitième position s'est écrasé sur le cortège officiel. Le président du Conseil, Ernest Monis, a été blessé; le ministre de la Défense Maurice Berteaux a été tué sur le coup. Il aura droit à des funérailles nationales. Mais la course continue. À Madrid, le 26 mai 1911, Jules Védrine devance Roland Garros, accablé d'ennuis mécaniques.

Après le Paris-Rome du *Petit Journal* qui suit, et où il arrive encore une fois derrière le vainqueur, Garros devient pour le public «l'éternel second». Il enrage et, ruminant sa revanche, décide de s'attaquer au record d'altitude. C'est à Dinard qu'il y parvient, le 4 septembre 1911, où il monte à près de 4000 mètres. Engagé dans une nouvelle tournée de meetings, au Brésil, puis en Argentine, l'intrépidité de ses démonstrations comble des spectateurs avides de prouesses. Rentré en France, il remporte son premier grand succès en arrivant cette fois premier dans le Circuit d'Anjou, par un temps effroyable. Mais voici que son record d'altitude est battu par l'Autrichien Blaschke, qui a réussi à s'élever à 4350 mètres. Têtu, Garros reprend son record à 4950 mètres, le 5 septembre 1912. Pas pour longtemps! Douze jours plus tard, le Français Georges

Legagneux monte encore plus haut. Tarare! Le 11 décembre, Roland Garros triomphe à Tunis, en portant son nouvel avion, un Morane-Saulnier, à 5 600 mètres au-dessus de la mer. Cela n'en finit plus. En mars 1913, Edmond Perreyon, lui, élève son Blériot à 5 880 mètres au-dessus de Pau.

Il faut changer de registre, frapper un grand coup, unique! S'imposer définitivement comme l'un des meilleurs pilotes de France et du monde. Alors lui prend l'idée de tenter la traversée de la Méditerranée. Un autre, le lieutenant Édouard Bague, s'y était essayé en juin 1911, et il y avait perdu la vie. Mais Garros est un risque-tout, avisé sans doute, soucieux de bien s'assurer des possibilités de son avion, mais téméraire par excellence. Il décolle au petit matin du 23 septembre, pas vraiment sûr de pouvoir disposer de la quantité d'essence et d'huile nécessaire. Pour économiser le carburant il vole au-dessus de 2 500 mètres, là où la résistance de l'air est plus faible. Au bout d'une heure et demie de vol, il entend soudain un bruit insolite dans son moteur; une pièce s'en détache et vient crever le capot. C'était, comme il l'apprendra plus tard, un ressort de rappel de soupape d'échappement. Doit-il atterrir en Corse? Non, le moteur tourne normalement, l'avion continue son vol. Il se pose finalement à Bizerte avec un réservoir presque vide.

À Tunis, où *L'Exelsior* a dépêché son reporter, Roland Garros résume son exploit: «Je suis parti de Saint-Raphaël avec la conviction que le temps me serait favorable pendant toute la traversée. J'avais pris la précaution de munir mon Morane-Saulnier, qui fut, à son habitude, au-dessus de tout éloge, d'un moteur Gnome de 60 chevaux. Ce moteur me permettait d'aller plus vite qu'avec un 50 chevaux et de dépenser moins d'essence qu'avec un 80. Car c'était là le grand écueil!

Aurais-je le temps d'atteindre l'autre rive ? Vers la fin du trajet, j'entendis quelques ratés angoissants ! D'où cela provenait-il ? Était-ce l'essence qui manquait ou bien des bougies encrassées ? Confiant en l'excédent de puissance de mon appareil, je conservais de l'espoir, mais, dans une semblable situation, l'espérance dure peu de temps. Et je me rappelais tous les incidents que j'avais éprouvés au cours de ma carrière ! Toute ma vie défila devant mes yeux ! Que dirait-on dans les journaux : serais-je traité de fou téméraire si je me tuais, ou de héros si je réussissais ? Car telle est l'injustice humaine que ceux qui disparaissent sont considérés comme des insensés […] Enfin, peu à peu, le rivage apparaissait et quelle joie lorsque j'aperçus la terre ! Chaque coup d'aile me rapprochait du but et ma confiance revenait. Je voulus me rendre compte de la cause des sinistres ratés que j'avais entendus : je me retournai et regardai mon réservoir supplémentaire d'essence : ciel ! il ne restait plus que cinq litres. Il était temps. Et j'avais deux soupapes grippées. Je l'avais échappé belle et je poussai un soupir de soulagement, oh ! mais comme je n'en ai jamais poussé de ma vie ! La Méditerranée était traversée : je n'étais pas si fou d'avoir tenu bon, quand chacun voulait me dissuader d'abandonner mon projet ! Ce n'était pas si difficile que je le supposais. »

On interroge Garros sur l'éventualité d'une traversée de l'Atlantique. Un rêve ? Une utopie ? « Mais pas du tout, répond-il. Elle est réalisable, même de nos jours. »

De retour à Marseille, puis à Paris, Roland Garros est fêté comme un héros. *L'Exelsior* lance une souscription pour commémorer l'exploit et publie bientôt les adresses de ceux qui y participent. Les autres aviateurs célèbrent leur camarade sans restriction. Parmi eux, Louis Blériot n'est pas le moins enthousiaste : « La performance de Garros, écrit-il, est réellement une performance historique, et la première traversée de la Méditerranée sans escale marquera, dans l'histoire de l'aviation, une date inoubliable. L'homme qui a accompli cet exploit a fait preuve d'une audace inouïe, surtout si l'on considère que la traversée a été faite par un appareil terrestre. »

L'Humanité, qui a publié à la une une photo de Roland Garros et une carte géographique de son itinéraire d'une rive à l'autre de la Méditerranée ne tarit pas d'éloges : « Le voyage qu'il a accompli, hier, au-dessus des flots, dépasse en hardiesse et en beauté toutes ses prouesses antérieures. Et l'on demeure confondu d'étonnement et d'admiration à voir se réaliser de tels exploits dans ce domaine aérien à peine exploré il y a cinq ans et si pleinement conquis à l'heure actuelle. »

Une semaine plus tard, l'aviateur Marcel Prévost bat le record du monde de vitesse en volant à 204 kilomètres à l'heure sur un appareil Deperdussin. L'aéronautique française se porte décidément bien. Les militaires, d'abord sceptiques, commencent à s'y intéresser sérieusement.

1913
OCTOBRE

NAISSANCE DU
VIEUX-
COLOMBIER

———

Les comédiens du théâtre du Vieux-Colombier
au Limon (Seine et Marne) chez Copeau pendant l'été 1913.
De gauche à droite : Charles Dullin, Jacques Copeau, A. Tollier,
Blanche Albane, G. Roche, Jane Lory, Suzanne Bing, Louis Jouvet,
Roger Karl, Antoine Cariffa et le chien Filou.

Des six amis qui ont fondé *La Nouvelle Revue française* en 1909, c'est le plus jeune, Jacques Copeau, qui se met en vedette en ce mois d'octobre. Une affiche, bleu et orange, appelait «la jeunesse» et «le public lettré» à venir participer à l'inauguration du théâtre du Vieux-Colombier pour laquelle deux pièces étaient représentées, *Une femme tuée par la douceur* de Thomas Heywood et *L'Amour médecin* de Molière.

Cette petite salle parisienne, près de la place Saint-Sulpice, Copeau, à 34 ans, a décidé d'en faire la scène de ses ambitions longuement mûries de dramaturge. Ses bourgeois de parents, épris de théâtre, l'avaient familiarisé de bonne heure aux feux de la rampe. Dès le lycée Condorcet, il s'était juré de jouer la comédie ou, à défaut, d'en écrire. Il avait 17 ans lorsqu'il composa une pièce en trois actes, *Brouillard du matin* qui, jouée par ses condisciples de Condorcet, eut l'honneur d'un compte rendu de Francisque Sarcey, trônant encore sur les colonnes du *Temps*.

Étudiant en lettres à la Sorbonne, il était vu plus souvent aux représentations du théâtre Antoine ou à L'Œuvre de Lugné-Poë que dans les amphithéâtres de la Faculté. Il écrivait des scénarios ou de courtes pièces qui restaient dans ses tiroirs. Lorsque son père mourut, il dut renoncer à ses études. Au cours d'un long séjour au Danemark, où il gagna sa vie en donnant des leçons de français, il rencontra Agnès Thomsen, qui devint sa femme. Il était encore à Copenhague lorsque, pris d'enthousiasme pour *L'Immoraliste* d'André Gide, il écrivit à celui-ci une lettre suffisamment éloquente pour retenir l'attention de l'écrivain dont l'autorité intellectuelle s'affirmait sur la jeune génération.

De retour à Paris, il est encouragé par Gide à poursuivre ses recherches théâtrales, mais il doit provisoirement y renoncer, les affaires de famille le contraignant à diriger la fonderie de son père dans les Ardennes. Il met deux ans à démontrer sa faible vocation d'industriel : en 1905, l'entreprise fait faillite, le voici libre de revenir à Paris et de renouer avec Gide son protecteur. Nouveau départ ! Gide l'introduit dans ce groupe d'où va naître *La Nouvelle Revue française*. Gagnant sa vie comme vendeur dans une galerie d'art vers la Madeleine, il passe une bonne partie de ses nuits à écrire. Et d'abord comme critique dramatique, avec l'ambition, par ses exigences et sa sincérité, d'aider l'art du théâtre à se porter au plus haut. En 1907, Léon Blum ayant quitté sa critique dramatique à *La Grande Revue*, Copeau est appelé à lui succéder et, du même coup, à devenir un des spécialistes les plus en vue des planches parisiennes. Dans ce périodique, il éreinte tout ce que le théâtre contemporain a de médiocre, de convenu, de mercantile pour le plaisir d'un public ignare et complaisant. Encouragé par Gide et ses amis, il mène la croisade pour une régénération du théâtre.

Son influence croissante et ses relations décident un entrepreneur de théâtre, Jacques Rouché, à lui demander d'écrire une pièce pour le théâtre des Arts qu'il vient de louer. Toutes affaires cessantes, Copeau se réfugie dans une petite maison de campagne au Limon, près de la Ferté-sous-Jouarre. Aidé par un sociétaire de la Comédie-Française, Jean Croué, il s'arrime à l'adaptation des *Frères Karamazov* de Dostoïevski. Ce fut sa chance! La pièce, jouée dans l'année 1911-1912, obtient un beau succès et enchante la critique. Dopé par ces bravos, Copeau est sûr désormais de son avenir de dramaturge. Mais, pour être passé de salle en salle comme critique, il sait qu'aucune d'elles ne convient au genre de théâtre dont il rêve. Antoine, fondateur du Théâtre libre, désormais directeur de l'Odéon, ne se renouvelle plus. Le théâtre de l'Œuvre de Lugné-Poë paraît d'un autre temps. Rouché, lui, ne vise à réveiller la scène que par des révolutions de décor.

Une conclusion s'impose : il lui faut créer son propre théâtre. Cette conviction est renforcée par le soutien de l'équipe de *La Nouvelle Revue française* qui a pleine confiance en lui. La recherche d'une salle le conduit alors à L'Athénée-Saint-Germain, 21 rue du Vieux-Colombier, un petit théâtre datant de 1805 et quasi à l'abandon. Rive gauche! Loin des théâtres du Boulevard! Tout un symbole! Il la fait restaurer dans la sobriété qui lui manquait et lui choisit pour nom celui de sa rue. Le capital du théâtre sera le fruit d'une société par actions – 200 actions de 1 000 francs chacune, que Copeau a la joie de voir achetées rapidement.

Là-dessus, il se met en quête d'une troupe, fait passer des auditions, et dix comédiens, à peu près inconnus, sont choisis pour former le noyau de la compagnie. Charles Dullin, qui avait été applaudi dans *Les Frères Karamazov*, en fait partie, ainsi que Louis Jouvet, révélé par *Le Pain* d'Henri Ghéon – l'un des fondateurs de *La NRF*. Jouvet devient aussi le régisseur de la compagnie.

L'idée principale de Copeau n'était pas « révolutionnaire ». Il voulait seulement créer un théâtre de répertoire, rival en somme de la Comédie-Française, sachant alterner les classiques et les contemporains. La rémunération des comédiens était chiche, mais ils avaient la ressource de pouvoir interpréter des rôles très variés dans la continuité. Cette recherche de la continuité, Copeau la propose aussi aux spectateurs par un système d'abonnements. Les amis l'épaulent. « Cela va être un théâtre très intéressant pour toi, écrit Martin du Gard à un de ses anciens condisciples, et je t'engage à prendre un abonnement. Je ne suis pas sûr qu'ils feront recette, et, en qualité d'actionnaire, je ne puis dire que j'ai une bien grande confiance... Mais, littérairement, ce sera très bien ; et ce sera l'occasion de revoir un tas de belles choses anciennes, jouées avec conscience et foi, dans un cadre simple et éminemment sympathique. »

Pendant l'été 1913, Jacques Copeau emmène sa troupe au Limon, où, pendant six semaines, dans son jardin, et s'il pleut dans sa grange, on répète les pièces de l'inauguration dans une sorte d'université d'été, où les lectures, les analyses, les commentaires complètent le jeu dramatique. Quelques exercices physiques sont aussi au programme, la marche, la natation, l'escrime même. Au fil des jours, des liens affectifs se tissent entre les comédiens, dans la conscience de servir un projet intellectuel ambitieux.

Le numéro du 1er septembre de *La NRF* contient un article de Jacques Copeau, «Un essai de rénovation dramatique», où il entend s'expliquer. Il commence par une violente diatribe:

«Indignation contre une industrialisation effrénée qui, de jour en jour plus cyniquement, dégrade notre scène française et détourne d'elle le public cultivé; l'accaparement de la plupart des théâtres par une poignée d'amuseurs à la solde de marchands éhontés; partout, et là encore où de grandes traditions devraient sauvegarder quelque pudeur, le même esprit de cabotinage et de spéculation, la même bassesse; partout le bluff, la surenchère de toute sorte et l'exhibitionnisme de toute nature parasitant un art qui se meurt, et dont il n'est même plus question; partout veulerie, désordre, indiscipline, ignorance et sottise, dédain du créateur, haine de la beauté [...].»

Il annonce ce qu'il veut:

«Nous ne croyons pas à l'efficacité des formules esthétiques qui naissent et meurent, chaque mois, dans les petits cénacles, et dont l'intrépidité est faite surtout d'ignorance. Nous ne savons pas ce que sera le théâtre de demain. Nous n'annonçons rien. Mais nous nous vouons à réagir contre toutes les lâchetés du théâtre contemporain. En fondant le théâtre du Vieux-Colombier, nous préparons un lieu d'asile au talent futur.»

Afin de mettre en valeur les textes, de les servir au mieux, Copeau récuse toute *machinerie* et réduit au maximum le décor. Ennemi de la marchandisation, il met les places à un prix modique et, petite révolution, il interdit le pourboire aux ouvreuses.

Tous les amis sont là, ce soir du 22 octobre, pour l'inauguration, et mettent la main à la pâte. Roger Martin du Gard s'occupe du vestiaire ; son épouse, Hélène, s'active l'aiguille en main à ajuster les robes des comédiennes ; le romancier Georges Duhamel s'improvise souffleur, alors que les prospectus distribués aux spectateurs ont été rédigés par Léon-Paul Fargue. Une vraie fête de l'amitié, qui n'empêche pas les paillettes de briller : « Répétition générale au Vieux-Colombier hier, écrit Martin du Gard, le 23 octobre. Salle inouïe, d'une élégance folle, tout Paris, depuis le président du Conseil, Arthur Meyer, et la comtesse de Noailles, jusqu'aux Bernstein, Bréval, Gide, Paul Fort, Rachilde, de Thomas, de Castellane, tous les critiques de Paris, des actrices, des danseurs russes, toutes les vedettes possibles. »

Quelque chose était en train de changer sur la scène parisienne, mais toute la critique n'en est pas convaincue. Le choix des deux premières pièces, et spécialement le mélodrame de Thomas Heywood, contemporain de Shakespeare, est jugé malheureux. L'austérité de la mise en scène choque certains, tel Paul Souday : « Le Vieux-Colombier tient à nous obliger à nous rendre compte que nous ne sommes pas au Vieux-Colombier pour nous amuser. » En revanche, les comédiens sont souvent loués, notamment Charles Dullin, « comédien de grande classe » aux yeux de Maurice Boissard, alias Paul Léautaud, qui se dit par ailleurs séduit par Louis Jouvet et « son air funèbre et embarrassé ».

Un nouveau théâtre est né. Non pas une salle de plus, mais la promesse d'un art dépouillé et probe qui, de ses propres ressources, porte à sa plus haute expression le *métier* au service de la création littéraire.

LÉON BLOY

—

Au Seuil

de

l'Apocalypse

POUR FAIRE SUITE AU *Mendiant Ingrat*
A *Mon Journal*
A *Quatre Ans de Captivité à Cochons-sur-Marne*
A *l'Invendable*
AU *Vieux de la Montagne*
ET AU *Pèlerin de l'Absolu.*

1913-1915

La porte des Humbles.....

PARIS

MERCVRE DE FRANCE

XXVI, RVE DE CONDÉ, XXVI

—

MCMXVI

1913
NOVEMBRE

LES FULMINATIONS
DE
LÉON BLOY

Couverture du tome IV
du journal de Léon Bloy commencé à la veille de la Grande Guerre,
Au seuil de l'Apocalypse.

On me reconnaît à ceci que je suis toujours vêtu de velours et que j'ai l'air d'une brute. » C'est ainsi que se présentait Léon Bloy, l'un des écrivains maudits des plus maudits de la Belle Époque. Le 7 novembre 1913, il publie la nouvelle série de son *Exégèse des lieux communs*, qui ne remporte pas plus de succès que la première, neuf ans plus tôt. Livre issu d'une idée originale, qui n'est pas sans rappeler le *Dictionnaire des idées reçues* de Flaubert, et qui vise à décrypter avec ironie les truismes et les expressions toutes faites du langage contemporain. Dans l'un et l'autre cas, c'était le bourgeois qui était visé, le bourgeois qui fait la roue en usant du langage le plus convenu. La grande différence entre les deux entreprises tient à ce que Léon Bloy développe l'analyse des lieux communs d'un point de vue chrétien.

Par exemple, «Faire un bout de toilette»:

«Le bourreau se présente avec une paire de ciseaux pour couper les cheveux de son client.

– Allons, cher ami, lui dit-il affectueusement, nous allons faire un bout de toilette.

– Tu parles! répond le condamné.

La conversation, ordinairement, ne va pas beaucoup plus loin.

Lorsque j'entends un bourgeois déclarer qu'il va faire un bout de toilette pour *aller dans le monde*, je pense à cette scène, à ce condamné, moins criminel peut-être, qui fait, lui aussi, un bout de toilette pour aller dans *l'autre monde*, et je vois très distinctement la Mort derrière mon bourgeois. Il reviendra, j'y consens, avec sa tête sur ses épaules, mais si elle est comme son cœur, ce sera une tête de mort, et les autres bourgeois à têtes de morts salueront en lui un homme du monde qui leur est semblable – en oubliant les règlements administratifs qui prescrivent la fermeture des cimetières à la tombée du jour.»

Léon Bloy déroute, car il n'est d'aucune chapelle ni d'aucun parti. Catholique intransigeant, intégriste en théologie, il n'a pas de plus cruelles objurgations que contre l'Église et les prêtres de son temps: «Je n'appartiens à rien ni à personne, sinon à Dieu et à son Église. J'entends l'Église *invisible*. La visible, j'en conviens, est devenue abominable...» Au moment de l'affaire Dreyfus, il écrit un pamphlet contre Zola: *Je m'accuse...*, mais foudroie les antisémites, à commencer par Édouard Drumont, en leur rappelant que la haine antijuive atteint directement ce Juif qui se nomme Jésus-Christ et qu'«il mange, chaque matin». Il communie chaque jour en effet, mais il avoue toute sa «sympathie» à Bonnot, le bandit tragique, cerné par les gendarmes et la populace vociférante qui l'assaillent dans son hangar de Choisy-le-Roi où il est tué : « Glorieuse victoire de dix mille contre un. Le pays est dans l'allégresse et plusieurs salauds seront décorés. » Antidémocrate, il crie contre l'injustice et les forfaits du colonialisme : « L'histoire de nos colonies, surtout dans l'extrême Orient, n'est que douleur, férocité et indicible turpitude. »

Ce caractère d'irrécupérable et d'intransigeance lui cause bien des désagréments. Toujours dans la débine, il a la manie de décourager ses bienfaiteurs. Son ami le poète Jehan Rictus, l'auteur des *Soliloques du pauvre*, lui trouve-t-il un périodique où sa prose pourrait lui assurer un gagne-pain ? Bloy s'indigne qu'on ait pu lui proposer d'écrire dans le journal dirigé par un défroqué, un *apostat*. Il a des principes, et notamment celui-ci, de refuser de se battre en duel, alors que ses pamphlets lui en offrent quelques-uns. À ce sujet, l'histoire de Tailhade est exemplaire. En 1894, en pleine période anarchiste, Laurent Tailhade qui, dans sa prose et ses vers, avait sympathisé avec ceux qui pratiquaient la « propagande par le fait », tombe victime d'une bombe posée sur le rebord d'une fenêtre, dans un restaurant où il déjeunait. Son transport à l'hôpital fait la joie de la presse conservatrice, et inspire en particulier dans *L'Écho de Paris* un article d'Edmond Lepelletier, intitulé « Une bombe intelligente ». Le sang de Bloy ne fait qu'un tour et il écrit tout à trac une chronique pour le *Gil Blas*, auquel il collabore, « L'hallali du poète », où il s'insurge contre l'injustice et la lâcheté du journaliste. Celui-ci envoie à Bloy ses témoins, que celui-ci envoie dinguer. Pas question de se battre, sa religion le lui interdit. Selon la coutume, c'est le rédacteur en chef Jules Guérin qui se substitue au récalcitrant. Tout se termine par une égratignure de Guérin, mais celui-ci en profite pour congédier Léon Bloy, celui qui n'a pas voulu se battre.

Sa vie, logée dans une pauvreté où il voit un signe de Dieu, n'est qu'une suite de tribulations. Marié à une femme qui communie dans le même mysticisme, père de deux filles qu'il chérit, il passe son temps à publier des livres qui ne se vendent pas, à écrire dans des périodiques qui le flanquent à la porte, à hurler dans son Journal – dont les volumes successifs sont régulièrement édités – contre les riches au cœur de pierre, les pharisiens patentés de l'Église, les écrivains mondains dont Paul Bourget devient le parangon. Il mène une vie de crève-la-faim, change incessamment de domicile, survivant grâce aux subsides de ses bienfaiteurs et aux avances de son éditeur Vallette et de sa femme Rachilde, qui dirigent le Mercure de France. Il connaît des jours sans pain et des nuits sans sommeil, mais continue à écrire livre sur livre, pénétré d'une foi intense, inspiré par des illuminations foudroyantes. Il passe pour un pamphlétaire, ce qu'il est, mais sans qu'on veuille voir en lui la grandeur d'un écrivain inspiré.

Il ne cesse de se faire des ennemis dans tous les camps de la société. On lui reproche d'être un *tapeur*, et lui-même s'intitule un «mendiant ingrat»; ses exigences religieuses et ses anathèmes contre les compromissions de l'Église établie le rendent odieux aux yeux des calotins; ses fulgurances qui fleurent l'anarchisme indisposent les bien-pensants; sa foi de Croisé lui vaut le mépris des gens de gauche; son refus du duel le fait passer pour un poltron... Il n'y a peut-être qu'une famille d'esprits où il trouve grâce: chez les libertaires qui voient en lui, malgré sa bigoterie, le «défenseur du pauvre».

Heureusement pour lui, il peut compter sur une poignée d'admirateurs, de rares lecteurs électrisés sous le choc de ses injonctions célestes. Il fait des convertis, dont les plus fameux sont Jacques et Raïssa Maritain, qui deviennent ses filleuls, ainsi que le peintre Georges Rouault. Ceux qu'il ne choque pas sont fascinés par ce «Pèlerin de l'Absolu», dont la voix prophétique les détourne des vanités bourgeoises, des médiocrités journalières, des triviales espérances sublunaires. Certains prêtres, au milieu de la piétaille des soutanes, tombent sous le charme de l'imprécateur. Ses amis sont rares, mais inconditionnels. Le style de l'écrivain y est aussi pour quelque chose. Une prose d'enlumineur, aux mots rares, aux fulminations sacrées, que ses admirateurs recopient et apprennent par cœur. Ils lui allument des contre-feux contre la misère.

Son activité d'écrivain en cette année 1913 est intense. Après mille et un domiciles d'où il a été délogé ou qu'il a quittés par force majeure, il habite désormais à Bourg-la-Reine, dans la banlieue de Paris. Outre la nouvelle série d'*Exégèse*, il corrige les épreuves d'une nouvelle édition de *Sueurs de sang*, qui traite de ses péripéties dans la guerre de 1870 et qui annonce «la prochaine»: «Ce livre publié pour la première fois en 93, écrit-il, et, naturellement étouffé, va reparaître en pleine inquiétude de la menaçante guerre franco-allemande»; il prépare une nouvelle édition de son roman fracassant, *Le Désespéré*; il écrit une plaquette sur Huysmans, qui a été son ami avant d'être exécré par lui («la mort, disait Jules Vallès, n'est pas une excuse»); il continue à écrire son Journal, dont le nouveau tome s'intitulera *Au seuil de l'Apocalypse*...

Pour un ecclésiastique délicat comme l'abbé Mugnier, vicaire de Sainte-Clotilde, au faubourg Saint-Germain, qui fréquente les salons, et se pique de belles lettres, Léon Bloy est un monstre dont le christianisme «est une haine de plus».

Dans son Journal, l'abbé flétrit Bloy qui l'a traité de «prêtre mondain»: «Ah! l'ignominie de cet homme!» La finesse du vicaire n'est pas assez pointue pour percevoir sous la carapace de «l'entrepreneur en démolitions» le fou de Dieu. René Martineau, le dédicataire d'*Exégèse des lieux communs* première série, écrivait en octobre 1912: «Je sens, mieux que jamais, que Léon Bloy est un monstre, mais qu'il est *un monstre de beauté*. Quelle monstrueuse force d'âme ne lui a-t-il pas fallu, en effet, pour affirmer, devant un monde peuplé de mufles et d'imbéciles, son idéal spiritualiste, pour être *volontairement* un pauvre, pour aimer les pauvres, pour se détacher si parfaitement des biens terrestres qu'il soit indifférent à toutes les couronnes.»

Élu de quelques adeptes fervents, aimé par quelques amis sûrs, chéri par sa femme Jeanne et ses deux filles, «l'Invendable», comme il s'appelle, n'a cessé d'indigner les autres, qui se sont vengés de lui par le mépris – la «conspiration du silence» dont ses livres ont pâti – et de laisser dans l'incompréhension la plupart de ceux qui l'ont approché. On lit dans son *Exégèse* sous le titre «Une bonne moyenne»: «Le président Jules Grévy venait d'inaugurer le Salon des Champs-Élysées. Il dit à ceux qui le reconduisaient à la sortie: "C'est cela, messieurs, c'est cela. Pas de génie, mais une bonne moyenne, voilà ce qu'il faut à notre démocratie!"» On s'explique pourquoi Léon Bloy n'a jamais été bon pour être démocrate.

ALAIN-FOURNIER RATE LE GONCOURT

Portrait d'Alain-Fournier en 1913.

Depuis ses débuts, en 1903, le prix Goncourt est en passe de devenir une institution dans la république des lettres. Le jury, composé de dix écrivains, dominé par de fortes personnalités, Lucien Descaves, Octave Mirbeau, Léon Daudet, comprend depuis 1910 une femme, Judith Gautier. Chaque année, les auteurs, les journaux, les éditeurs entrent en effervescence, et chaque année l'attribution du prix est l'objet de controverses et de polémiques. En 1912, il a fallu sept tours de scrutin pour couronner l'obscur André Savignon et ses *Filles de la pluie*, un roman régionaliste situé à Ouessant : la double voix du président Hennique avait été nécessaire.

Cette fois, le 3 décembre, au Café de Paris, il faut onze tours aux académiciens pour récompenser *Le Peuple de la mer* de Marc Elder. Aux premiers tours, le roman de Valery

Larbaud, *A.O. Barnabooth*, et *La Maison blanche* de Léon Werth font figures de favoris. Puis, au quatrième tour, surgit un concurrent inattendu, *Le Grand Meaulnes* d'Alain-Fournier, qui se tient en bonne place jusqu'au dixième tour, sans obtenir la majorité absolue des suffrages. De guerre lasse, la majorité se résigne à donner le prix à un romancier et à un roman de second ordre, ce *Peuple de la mer*, que *Le Figaro* décrit comme «un roman de la plus triviale vérité».

La rumeur court que les Goncourt s'étaient décidés à élire un écrivain respectable et sans génie parce qu'il était tuberculeux. De dépit, Alain-Fournier ironise dans une lettre à Lucien Descaves où il se réjouit «du secours que vous avez accordé à une famille dans le besoin». Pincé, Descaves lui rétorque que l'académie Goncourt n'est pas «un bureau de bienfaisance». L'auteur du *Grand Meaulnes*, craignant que Marc Elder n'ait l'écho de sa réaction, écrit alors une lettre amicale au lauréat. Elder, alors blessé par les railleries des journaux, s'émeut de ses compliments: «Ils me comblent de joie et croyez qu'il me serait doux de serrer votre main.»

Le prix Goncourt n'avait pas tant d'importance aux yeux d'Henri Fournier, connu sous son nom de plume, Alain-Fournier. Ce roman-là, le premier qu'il écrivait, il le portait en lui depuis de longues années. Il était la transposition mi-réaliste mi-onirique de son histoire d'amour fou qui avait commencé en 1905 et qui, en cette année 1913, n'était pas achevée.

Interne au lycée Lakanal (à Sceaux), où, en compagnie de son futur beau-frère Jacques Rivière, il préparait le concours de l'École normale supérieure, il avait été, lors d'une sortie à Paris, ébloui par la beauté d'une jeune fille blonde, dont la rencontre sur le cours la Reine lui parut d'emblée le tournant de sa vie. Avec une vieille dame qu'elle accompagnait, elle était montée dans un bateau-mouche, et Henri les avait suivies. Leurs regards s'étaient croisés. À la descente du bateau, il était toujours derrière elles, boulevard Saint-Germain, jusqu'au moment où elles étaient entrées sous un porche. S'immobilisant sur le trottoir, il avait guetté son apparition à une fenêtre, mais en vain. Alors, il revint à chacune de ses sorties, toujours sans succès. Mais la veille de la Pentecôte, elle apparut derrière un rideau et sourit. Revenu sur les lieux le lendemain, il a cette fois le bonheur de la voir passer devant lui. Tout à trac, sans réfléchir, il lui murmure comme une déclaration d'amour : «Vous êtes belle. »

Un peu plus tard, ils s'étaient retrouvés dans un tramway, puis, après la descente, il s'était aventuré à se porter à sa droite, pour lui parler : «Dites que vous me pardonnez de vous avoir dit que vous étiez belle – de vous avoir suivie si longtemps… » Rebuffade de la belle jeune fille : «Mais, monsieur, je vous en prie… » Décontenancé, mais non découragé, il s'était encore traîné derrière elle dans une église, avant de l'aborder carrément dehors à la fin de l'office. Cette fois, elle s'était radoucie. Mais à quoi bon ? Elle n'est pas de Paris, elle doit partir le lendemain. Pourtant, la conversation s'engage. «Alors, écrit-il un peu plus tard, commence la grande, belle, étrange et mystérieuse conversation […] comme si cet admirable matin de Pentecôte avait été, de toute éternité, préparé pour nous deux. »

Yvonne de Quiévrecourt – ils s'étaient échangé leurs noms – disparut alors de la vie d'Henri Fournier, mais non de sa mémoire. Il apprit en 1907 qu'elle était mariée, ce qui suscita ce cri dans une lettre à Jacques Rivière : «Déchirement, déchirements sans fin. » Dès lors, les amours qu'il connaîtra ne pourront jamais être que des faux-semblants : le souvenir de l'autre, sublimée, ne cessera de l'habiter. Après avoir écrit des contes et des notices dans *La Nouvelle Revue française*, où collabore Jacques Rivière que sa sœur Isabelle a épousé, il s'est lancé dans un roman, où il fait revivre son amour disparu entre Augustin Meaulnes et Yvonne de Galais, dans le cadre rustique du pays de Sologne, inondé de ses souvenirs d'enfance.

Sans profession, il a accepté un poste de secrétaire auprès de Claude Casimir-Perier, fils de l'ancien président de la République, riche homme d'affaires, et de sa femme, la comédienne connue, Pauline Benda, qui se fait appeler Madame Simone, et qui bientôt l'accapare plus que son mari. Grande dame, elle avait tout : beauté, richesse, célébrité, rien ne lui faisait besoin, si ce n'est sans doute un amour partagé. Mieux qu'un caprice de diva, elle fond sur ce jeune homme gracieux, d'une dizaine d'années plus jeune qu'elle, intelligent, élégant – et dont elle apprend le projet de roman. Quand Henri lui dit qu'il va le publier à *La NRF*, dans la revue puis en livre, Simone s'emploie à l'en détourner. Pour le convaincre, elle lui fait miroiter le prix Goncourt que Gallimard et *La NRF* seraient incapables de lui faire obtenir, ayant d'autres candidats à promouvoir. Son projet est de lui faire publier son livre chez Émile-Paul, et la voilà qui s'emploie dans tous les azimuts en faveur de son protégé, appuyée par son cousin Julien Benda et par son ami Charles Péguy, lui-même très proche d'Alain-Fournier. Celui-ci résiste : comment pourrait-il faire faux bond à Jacques Rivière, à Copeau, à Gallimard, tous persuadés qu'il ne publierait pas *Le Grand Meaulnes* ailleurs que chez eux ? Simone est si pressante, elle prodigue une telle débauche de dévouement, qu'à la fin d'avril Henri confie à sa sœur : « Il y a une combinaison entre Émile-Paul, Péguy et Julien Benda pour tâcher de faire aimer *Le Grand Meaulnes* à Descaves et décrocher ainsi le prix Goncourt. Je ne fonde là-dessus aucun espoir. Mais ceci m'oblige à ne proposer mon roman que pour la revue [*La NRF*] et non la librairie. » Cependant, il était devenu l'amant de Madame Simone, avec un certain goût du bonheur enfin trouvé, comme il s'en confie à Jacques Rivière, le 12 juillet : « Le bonheur est une chose terrible à supporter – surtout lorsque ce bonheur n'est pas celui pour quoi on avait arrangé toute sa vie. » Elle exerce sur lui un pouvoir auquel il n'a guère envie de se soustraire, elle est si séduisante.

Sur ces entrefaites, Henri est parti pour Mirande faire une période militaire. Il n'en revient pas directement. Dans la confidence, Marc Rivière, frère de Jacques, l'a informé que là où il prépare l'École de la marine navale, à Rochefort, il a fait la connaissance, en jouant au tennis, de Jeanne de Quiévrecourt, la sœur d'Yvonne, qui y habite avec ses parents. Henri passe donc par Rochefort, où il apprend de Jeanne qu'Yvonne est devenue mère de deux enfants : « Je souffre abominablement », écrit-il à Jacques, ajoutant : « Je ne veux pas qu'on me plaigne, je n'ai pas eu, je n'ai jamais eu d'amour malheureux. Je suis émerveillé encore après huit ans et malgré ma douleur de ce que m'a accordé Yvonne de Galais. Il y a eu la destinée contre nous, voilà tout. » Car il a pris l'habitude de nommer celle qu'il aime comme son personnage du *Grand Meaulnes*. Henri obtient sans mal de Jeanne l'adresse de sa sœur, et de Marc la promesse qu'il l'avertira si elle venait rendre visite à ses parents.

De retour à Paris, c'en est fait : *Le Grand Meaulnes* paraîtra en feuilleton à partir de juillet dans *La NRF*, et sera édité en livre chez Émile-Paul, Madame Simone l'avait emporté. Mais tout cela n'a guère d'intérêt au regard du mot que lui adresse bientôt Marc : « Yvonne de Galais est à Rochefort. Viens. » Péguy lui avait proposé de l'accompagner dans son pèlerinage à Chartres du 25 au 28 juillet, il avait acquiescé avec joie, mais il se décommande. Est-ce sous la pression de Simone, qui s'évertue à l'en dissuader, il est trop fatigué, il fait trop chaud... À moins que le départ sur la route de Chartres n'ait coïncidé avec l'appel de Rochefort[1]. Henri ne perd pas une minute. Il la revoit donc, la grande jeune fille blonde aux gants blancs, huit ans plus tard, aussi belle que naguère. Ils se retrouvent, ils se parlent. Elle lui présente ses deux petits enfants, qu'il embrasse en retenant ses larmes. Il veut s'assurer qu'ils ne se perdront plus de vue, qu'ils s'écriront. Avant de se quitter, il lui fait lire la lettre qu'il lui a écrite l'année précédente et qu'il a gardée sur lui : « Il y a plus de sept ans que je vous ai perdue. Il y a plus de sept ans que vous m'avez quitté, sur le pont des Invalides, un dimanche matin de Pentecôte... » Elle ne lui laisse aucun espoir. Non, il faudra qu'Henri se satisfasse de l'amitié. Ce renoncement, auquel il était sans doute préparé, il le vit dans la souffrance.

En septembre, il a reçu chez sa mère, à La Chapelle-d'Angillon, le couple Perier. À Paris, il a loué une garçonnière, boulevard Arago, où Simone vient le rejoindre dans sa Delahaye, conduite par son chauffeur. À la sortie du *Grand Meaulnes*, elle redouble d'énergie en vue du Goncourt. La presse est

---

1. Voir Michèle Maitron-Jodogne, « Du nouveau sur la rencontre de Rochefort », *Bulletin de l'Association des Amis de Jacques Rivière et Alain-Fournier*, n° 113, 2005. Le même auteur a publié une thèse, devenue *Alain-Fournier et Yvonne de Quiévrecourt. Fécondité d'un renoncement*, Bruxelles, P.I.E. Peter Lang, 2000.

mi-figue mi-raisin. «Un conte charmant», écrit Lanson. Mais les excès de zèle dont Simone fait preuve finissent par incommoder Alain-Fournier : «Elle ne se rend pas compte, écrit-il à Isabelle, que son patronage doit avoir l'air plutôt suspect... Et puis, tu comprends, si *Le Grand Meaulnes* est couronné, je voudrais que ce soit pour lui-même, non pas par protection.»

L'échec final au Goncourt ne trouverait-il pas là sa cause ? Simone n'a-t-elle pas exaspéré le jury ? Jacques Rivière en tire une conclusion optimiste : «Pour finir, c'est peut-être une chance qu'Henri n'ait pas eu ce prix... Elle l'aurait persuadé que c'est à elle seule, à sa puissance, à ses excellents conseils, qu'il le devait ; il n'aurait plus su lui résister. Elle l'aurait manœuvré pour en faire un auteur à succès ; il était perdu...»

Cette année-là avait paru le premier roman de Marcel Proust, *Du côté de chez Swann*. Les gens de *La NRF*, Gide en tête, avaient fait la fine bouche, jugeant l'auteur «un snob, un mondain amateur, quelque chose d'on ne peut plus fâcheux pour notre revue». Refusé par Gallimard, il était pris par Grasset qui ne l'avait même pas lu, mais à compte d'auteur. Le roman de Proust, tiré à 1 200 exemplaires, n'avait obtenu au Goncourt qu'une voix, au long des onze tours de scrutin, celle de Rosny. Paul Souday, le célèbre critique du *Temps*, décréta que Proust écrivait mal et que l'amour de Swann décrit par lui dénotait «une naïveté invraisemblable chez un Parisien de cette envergure».

1914

1914
JANVIER

LE RUGBY
PLUTÔT QUE
LA GUERRE !

Les Félibres assistant à la première partie de rugby
dans le parc du Lycée,
panneau gauche de la fresque peinte par Octave Guillonnet en 1899,
parloir du lycée Lakanal (Sceaux).

C e qu'on peut souhaiter de mieux, au début de cette année qui s'ouvre, pour l'Europe et pour le monde, c'est douze mois de paix. » *Le Petit Parisien* du 2 janvier 1914 complète ses vœux en affirmant : « Les peuples veulent la paix pour travailler librement – pour que, la prospérité rétablie, les masses trouvent un peu de bien-être et de sécurité. »

Cet appétit de paix si largement partagé, le puissant développement du sport depuis la fin du dernier siècle pourrait en être une vivante expression. En découdre, oui, mais en des combats qui ne font point de morts et qui, si durs soient les affrontements, restent ludiques. Massivement importés de Grande-Bretagne, la plupart des sports ont trouvé un autre terrain de prédilection en France, à commencer par le rugby.

En ce 2 janvier, tous les journaux rendent compte du

match de la veille, disputé au Vélodrome du parc des Princes et remporté de justesse par l'Irlande sur la France par le score étroit de 8 à 6. Quatre ans plus tôt, les Tricolores avaient rejoint les pays d'outre-Manche qui, depuis 1884, se rencontraient tous les ans. Le premier tournoi des Cinq Nations était ainsi né en 1910. Depuis cette inauguration, les Français prenaient le plus souvent des raclées face à l'Angleterre, au Pays de Galles, à l'Écosse et à l'Irlande, mais ils progressaient peu à peu. L'année précédente, ils avaient encore subi un sévère 24 à 0; cette fois, devant 20 000 spectateurs, ils résistent superbement, ouvrent le score par un premier essai de Robert Lacoste, suivi d'un autre de Géo André. Las! en seconde mi-temps les Irlandais marquent à leur tour et arrachent finalement la victoire par «un seul coup de pied» mortel. «Jamais nous n'avions vu à Paris, écrit *Le Petit Parisien*, de partie aussi vivement menée.»

Le même quotidien parle à ce sujet de la «furie méridionale» qui anima, au moins pendant la première partie du match, l'équipe nationale. Le fait est que, depuis une dizaine d'années, le football rugby, comme on l'appelle, a fixé sa résidence principale dans les départements du Sud-Ouest. Le championnat de France de 1913-1914 se dispute principalement entre Tarbes, Bordeaux, Toulouse, Perpignan et Bayonne, même si figurent encore dans la phase finale les équipes de Grenoble, du Racing Club de France et du Havre : la finale sera remportée par l'Association sportive perpignanaise sur le Stadoceste tarbais. Entre 1904 et 1911, le SBUC (Bordeaux) avait participé à toutes les finales.

Le rugby français avait d'abord été installé au Havre par des Britanniques, lesquels avaient inspiré les couleurs du club : le bleu clair de l'université d'Oxford et le bleu foncé de

Cambridge. Surtout, ce sport s'était développé dans la région parisienne, notamment dans les établissements scolaires, comme le lycée Lakanal à Sceaux ou le lycée Michelet à Vanves. Si, en 1914, le Racing fait encore bonne figure, c'est que son équipe est largement composée d'Aquitains... et d'Anglais. À Bordeaux même, c'est la présence d'Anglais qui a été à l'origine de l'essor du SBUC. *L'Intransigeant* de ce 2 janvier se plaît à faire l'éloge des «hommes du Sud» qu'il oppose aux «volages Parisiens». Au nord, le football association, très mal organisé ; au sud, le football rugby qui emplit les stades des petites cités conviviales ! Reste que les grands matches internationaux se déroulent la plupart du temps, non au parc des Princes, mais au stade de Colombes, dans la banlieue de Paris – un stade qui a été construit en 1907 sur le site d'un ancien hippodrome. *L'Écho de Paris* voit dans le match du nouvel an «la nouvelle preuve de la popularité acquise de ce côté de la Manche par les manifestations sportives en général et le football-rugby en particulier».

Cet engouement se mesure aussi au succès de la presse sportive. En 1891, Pierre Giffard, l'organisateur de la course cycliste Paris-Brest et retour, avait lancé *Le Vélo*, quotidien imprimé sur papier vert, qui pouvait atteindre un tirage de 80 000 exemplaires. Le journal offrait aussi des nouvelles politiques, ce qui causa finalement sa perte. Ses inclinations dreyfusardes avaient provoqué les mécontentements d'un certain nombre de potentats du sport, aristocrates ou industriels, à l'instar du marquis de Dion, ce qui donna l'idée à Henri Desgrange, ancien champion cycliste et directeur du nouveau parc des Princes, de créer en 1900 un quotidien concurrent, *L'Auto-Vélo*, imprimé, lui, sur papier jaune. *Le Vélo* lui fit un procès, qu'il gagna en 1903, de sorte que

Desgrange dut se résigner à titrer son journal simplement *L'Auto*. Mais, cette même année, il prenait une éclatante revanche en organisant le premier Tour de France cycliste, qui fit s'envoler les ventes et causa la disparition de *Vélo* l'année suivante.

Outre le Tour de plus en plus populaire, et les autres épreuves cyclistes de plus en plus nombreuses, le public peut se passionner à la morte-saison pour les Six-Jours, qui se disputaient au Vélodrome d'Hiver – le Vél' d'Hiv' –, récemment inauguré, et qui avaient été créés en 1913 par Bob Desmarets. Chaque équipe, formée de deux coureurs qui se relayaient, avait pour objectif de parcourir en six jours la plus longue distance possible et de gagner les nombreuses primes offertes par des entreprises ou des particuliers à tel ou tel moment de la course, afin d'entretenir l'attention du public. Celui-ci, notamment aux gradins supérieurs occupés par le «populo», rythmait les vivats, les clameurs et l'enthousiasme général, tout en saucissonnant devant les coureurs aux maillots multicolores, tournant sur la piste comme des écureuils en cage. Pour ne pas laisser les gens s'endormir, des équipes de musiciens se relayaient eux aussi dans un plaisant tintamarre.

Mais est-ce encore du sport? *L'Humanité*, sans être bégueule, se le demande. Dans un article du 19 janvier 1914, «Le sport comme métier et comme jeu», le quotidien socialiste entend bien distinguer les compétitions estampillées par l'argent et les compétitions qui opposent des sportifs au cœur pur et vaillant. À ces Six-Jours douteux, qui n'est qu'un spectacle pour distraire, il oppose le rugby, «le plus beau des sports, parce que le moins suspect et le plus désintéressé. Pas d'enjeu monnayé! Le seul mot qu'on n'entende jamais prononcé:

"C'est du chiqué!" Aucun jeu n'exige autant de souplesse et autant de force; tant d'agilité et tant de sang-froid». Et *L'Humanité* de conclure : «Les coureurs des Six-Jours font un métier; un "quinze" de rugby s'adonne au jeu.»

Les socialistes avaient eu l'idée de créer leur propre fédération sportive, la Fédération socialiste de sport et de gymnastique (FSSG), parallèlement à celle des patronages catholiques. Pierre Giffard, dans *L'Auto*, épingle ses faibles effectifs, s'avise de l'expliquer par une certaine défiance des socialistes envers le sport, suspecté de détourner la classe ouvrière de la lutte des classes. Vive réplique de *L'Humanité*: «Non, monsieur, les équipes socialistes ne sont pas rares parce que le Parti craint de voir leurs membres *s'embourgeoiser* en tapant dans un ballon ovale ou rond.» La réalité, c'est que le coût des terrains est si élevé en région parisienne, que la fondation d'un club est un vrai défi. Pour les socialistes, qu'on le sache, il est évident que par le sport «l'ouvrier acquerra cette discipline qui lui fait encore si cruellement défaut. Bien loin donc de devenir un aimable "je-m'en-fichiste", il prendra conscience de ses devoirs et incontinent ira se faire inscrire au syndicat de sa corporation». Les socialistes ne sont absolument pas hostiles au sport; ils veulent en revanche l'arracher à la contamination par le capitalisme, au professionnalisme et aussi à la mainmise de l'Église qui y a trouvé un instrument de prosélytisme auprès de la jeunesse. Le sport devient ainsi un enjeu idéologique et politique.

Au-delà de ces querelles, le sport a pris en France une nouvelle dimension depuis le début du siècle: le rugby, le football, le cyclisme, l'athlétisme, le tennis, la boxe, la gymnastique rivalisent avec les courses automobiles et les meetings aériens. La «Vie sportive» est devenue une rubrique obligée de tous les journaux – qui n'hésitent pas, comme en ce 2 janvier 1914, à en faire leur une.

Depuis le début du siècle, les rencontres internationales se multiplient et l'on se prend à rêver : la civilisation ne va-t-elle pas remplacer les armées séculaires par les olympiens du stade ?

Le Petit Journal

ADMINISTRATION
61, RUE LAFAYETTE, 61

Les manuscrits ne sont pas rendus

On s'abonne sans frais
dans tous les bureaux de poste

5 CENT.   SUPPLÉMENT ILLUSTRÉ   5 CENT.

25ᵐᵉ Année   ❖❖   Numéro 1.213

DIMANCHE 15 FÉVRIER 1914

ABONNEMENTS

	SIX MOIS	UN AN
SEINE et SEINE-ET-OISE	2 fr.	3 fr. 50
DÉPARTEMENTS	2 fr.	4 fr. »
ÉTRANGER	2.50	5 fr. »

1914
FÉVRIER

LA FIN DE
« BARBENZINGUE »

« Le rêve suprême du grand patriote »,
couverture du supplément illustré du *Petit Journal*
paru le 15 février 1914.

e 31 janvier 1914, la presse annonce la mort de Paul Déroulède, figure emblématique du nationalisme français avant même que le mot ne fût inventé. Ancien combattant de 1870, meurtri par la défaite, il avait consacré sa vie à une idée fixe : la Revanche. Ses poèmes patriotiques, comme *Le Clairon*, avaient été appris par les écoliers, mais le versificateur laissa place à l'homme politique, devenu bientôt le président de la Ligue des patriotes. Grand, dégingandé, le visage orné d'une barbe qui lui vaut des surnoms moqueurs – «Barbe à poux», «Barbenzingue» –, enfileur de grands mots, il a distillé la bonne parole à travers la France, en discours emphatiques, émouvants, passionnés.

Les journaux rappellent les péripéties de son existence si sujette aux excès. Obsédé par le retour de l'Alsace-Lorraine à la France, il s'était persuadé de l'inaptitude d'une République parlementaire à reprendre les «provinces perdues». L'objectif, de politique extérieure, passait ainsi par un préalable de politique intérieure : changer de régime, au profit d'une République populaire dont l'exécutif serait confié à un président élu par le peuple. Ainsi, lui et sa Ligue avaient donné pleinement leurs voix au général Boulanger, quand celui-ci mena campagne en faveur d'une Assemblée constituante destinée à réviser le système de la IIIe République.

Le boulangisme avait échoué, mais les idées révisionnistes de Déroulède restaient vivantes. Maurice Barrès, devenu son ami, était appelé à leur donner leurs lettres de noblesse. Élu député en 1889 à Angoulême, Déroulède devient à la Chambre des députés un opposant incisif, régulièrement rappelé à l'ordre, adepte de l'obstruction et sans cesse menacé d'être exclu. Il laisse dans les mémoires les éclats de sa dissension avec Clemenceau, au moment de l'affaire de Panama. Barrès, dans son roman *Leurs Figures*, paru en 1902, avait retracé le conflit entre le député de la Charente et le député du Var, qu'il accusait de corruption : « En attendant la révision de la Constitution, je fais la révision de certains députés. Je révise M. Clemenceau, voilà tout. » C'était hardi : la provocation aurait nécessairement une conclusion sur le terrain, et Clemenceau était un bretteur redoutable, mais le duel au pistolet qui suivit fut sans résultat. Par la suite, Déroulède avait démissionné de la Chambre.

L'affaire Dreyfus l'avait relancé. Ce fut vraiment le moment où il s'affirma comme l'une des têtes pensantes et agissantes du nationalisme français. Le camp des antidreyfusards était composite, monarchistes, antisémites, antiparlementaires, tous ces furieux n'avaient en commun qu'une cause négative, la défense du Conseil de guerre qui avait condamné Dreyfus et l'exécration du capitaine juif monté en exemple de trahison.

Déroulède, lui, poursuivait son idée révisionniste, défendait le principe d'une République plébiscitaire et, pour y parvenir, l'alliance du peuple et de l'armée. Tout cela l'avait conduit à la préparation d'un projet insensé, un putsch accompli par des chefs militaires appuyés par les masses. Il était républicain, il restait républicain, mais son idéal spartiate de république devait s'imposer par la force à la république parlementaire, puisqu'il n'y avait pas moyen de procéder à une révision légale.

Ce fut cet épisode à demi burlesque des funérailles du président Félix Faure en février 1899, où l'on vit Déroulède tenter d'entraîner vers l'Élysée le général Roger, qui menait le cortège funèbre à cheval. Mal préparé, le coup de force fut un lamentable fiasco, et Déroulède fut arrêté. Or les idées nationalistes avaient si bien pris faveur à Paris que, à l'issue du procès qui s'était tenu au mois de mai suivant, le jury populaire de la Seine acquitta l'accusé. Un verdict d'autant plus incongru que le poète combattant s'était écrié avant la sentence : « Si vous me rendez la liberté, je recommencerai. Oui, je le jure, je recommencerai. » Ce n'était pas tolérable, et Déroulède fit, en novembre, les frais d'un procès en Haute Cour, pour cause de complot. Cette fois, il était condamné à dix ans de bannissement. Il prit alors le chemin de l'exil qu'il fixa à Saint-Sébastien, d'où il continua ses interventions politiques en envoyant régulièrement ses articles au journal de sa Ligue, *Le Drapeau*, dont Barrès était devenu rédacteur en chef. « Nationalisme, République, Plébiscite », c'était le programme. Il continuait à prôner l'alliance du peuple et de l'armée, non pas en vue d'une dictature militaire, « mais bien pour faire de la force militaire la protectrice de la Nation, la libératrice de ses droits, la gardienne des urnes populaires, largement et librement réouvertes ».

Au cours de son exil, Déroulède avait infléchi ses convictions, assourdi ses projets plébiscitaires et concentré sa propagande sur le thème du patriotisme, ravivé dans le pays en 1905 par la provocation de Guillaume II à Tanger. Ses principaux adversaires étaient devenus Jean Jaurès, Gustave Hervé et les antimilitaristes. À l'occasion d'un incident mineur, il avait provoqué le chef socialiste en le désignant comme « le plus odieux pervertisseur de consciences qui ait jamais fait en France le jeu de l'étranger ». Outragé, Jaurès lui demanda réparation. Un duel suivit à Hendaye, sans suite. Une amnistie votée par le Parlement en 1905 permettait à Déroulède de rentrer à Paris, où il était accueilli par une foule énorme.

Tout cela n'était pas si vieux, huit ans à peine s'étaient écoulés depuis ce retour triomphal. Pourtant, l'audience de Déroulède faiblit d'année en année. Il réside le plus clair du temps dans sa résidence angoumoise de Langély, qu'il quitte pour quelques meetings, des rencontres parisiennes, des entretiens avec son éditeur. Les frères Tharaud donnent en 1909 une préface à ses *Pages françaises*, une anthologie. D'autres ouvrages suivent qui sont autant de flops. Il reste néanmoins attaché à la cause ineffaçable de l'Alsace-Lorraine. Le contexte de 1913 aurait pu lui être favorable : le débat sur la loi des trois ans au début de l'été, en novembre les événements de Saverne, où des Alsaciens avaient été pris à partie par des officiers allemands qui avaient usé de violence. C'était une occasion de s'enflammer encore, lors d'une réunion publique à Champigny, le 13 décembre : « Je veux parler du renouveau de la protestation de nos frères d'Alsace et de Lorraine ; je veux parler des persécutions et des condamnations des patriotes de Metz et de Colmar, de Strasbourg et de Mulhouse, et enfin des indignes traitements, des basses injures, des ignobles brutalités imposées même aux recrues et aux citoyens de Saverne par les insolents hobereaux militaires de l'armée prussienne. »

Lesdits hobereaux avaient été, dans un premier temps, condamnés, mais un jugement en appel, devant le Conseil de guerre de Strasbourg, avait abouti à un acquittement général, à l'issue d'une campagne nationaliste effrénée en Allemagne. « Le règne du sabre justifié », avait titré *L'Humanité*, le 11 janvier 1914. Et *L'Action française* dénonçait « une satisfaction au Pangermanisme ». À ce moment-là, Déroulède était très bas ; la nuit du 29 au 30 janvier fut sa dernière nuit.

Il n'était plus depuis des années le nationaliste champion de la République plébiscitaire, le boulangiste, l'escogriffe du putsch manqué. Resté profondément attaché à l'idée de la Revanche, il s'était séparé des antidreyfusards les plus sectaires, se réconciliait avec le régime en place, espérait l'union des Français face à l'ennemi héréditaire, ce qui l'amenait à fréquenter des gens qu'il avait autrefois combattus. Cette évolution en forme d'apaisement, ajoutée au déclin physique du harangueur, explique le ton général de la presse à la nouvelle de sa mort : l'hostilité n'était plus de mise, non plus que la célébration exagérée. *L'Humanité*, sous la plume d'Amédée Dunois, admet bien qu'il « s'est trompé toute sa vie », le journaliste socialiste n'en déclare pas moins son « sincère respect ». Et Gustave Hervé, l'ancien champion de l'antipatriotisme, lui aussi, qui, il est vrai, avait déjà mis pas mal d'eau dans son vin, pouvait s'exclamer : « J'ai toujours eu un faible pour Déroulède. »

Les funérailles du vieux poète nationaliste se déroulent le 4 février suivant. La mise en bière a lieu à Nice, où il avait fait un ultime déplacement. De là, le cercueil est transféré à

Paris, dans une chapelle ardente préparée au fond de la cour d'arrivée de la gare de Lyon. Dans la nuit du 2 au 3 février, la dépouille est veillée par une garde d'honneur composée par des membres de la Ligue des patriotes. Pendant toute la journée du 3, la foule a défilé devant le cercueil drapé d'un grand voile tricolore. Le lendemain matin, un char funèbre tiré par deux chevaux s'est engagé dans la rue de Lyon, au son des tambours et des clairons. Dans le cortège qui se forme, on reconnaît quelques piliers de la République parlementaire que le défunt avait tant abhorrée : Millerand, Barthou, Briand, Joseph Reinach, aussi bien que Charles Maurras et Léon Daudet. En ce jour d'obsèques, la Chambre unanime a décidé de ne pas siéger.

La foule gonfle derrière le corbillard, sur les trottoirs, on aperçoit même des curieux sur les toits. On traverse la place de la Bastille, on prend la rue de Rivoli, on passe place des Pyramides, où l'on salue la statue dorée de Jeanne d'Arc sous laquelle Déroulède avait si souvent déposé des gerbes de fleurs, on débouche sur la place de la Concorde inondée de monde. Là, Maurice Barrès et Marcel Habert, le fidèle lieutenant, se détachent du convoi et viennent déposer des gerbes d'œillets rouges devant la statue de Strasbourg et sous les cris de « Vive la France ! ». Plus tard, sur le parvis de Saint-Augustin, après une messe funèbre, les oraisons se succèdent. *L'Écho de Paris* reproduit le discours de Maurice Barrès : « Rien ne fait plus d'honneur, devant le monde, à la France, que son refus d'accepter la perte de l'Alsace-Lorraine. Le grand patriote que nous accompagnons vient d'être, pendant quarante-trois ans, l'incarnation vivante de notre protestation contre le traité de Francfort. »

Oublié la veille, Déroulède reprend de l'actualité : le

contentieux franco-allemand au sujet des départements de l'Est annexés reste une source de tension dans les relations diplomatiques entre les deux pays. Ce même jour, Jaurès veut en finir avec ce *casus belli*, dans un article de *L'Humanité*, qu'il intitule non sans ironie: «Le pacifisme de Déroulède». Au fond, écrivait le tribun socialiste en substance, Déroulède voulait la paix, mais la paix par la revanche. Une fois les provinces rendues, adviendrait la paix, une paix durable, il n'y aurait plus d'objet de conflit entre Français et Allemands. Le pauvre! Il n'imaginait pas que la France pouvait subir une nouvelle défaite, «toujours possible». Et la victoire même n'était pas une garantie: «Est-il sûr que le monstrueux combat ne laisserait pas dans les cœurs l'implacable ferment des guerres nouvelles?» Et de conclure: «Il n'est pas de plus fragile chimère: et c'est la forme de pacifisme la plus rudimentaire et la plus utopique qui se puisse concevoir.»

La paix par une dernière guerre, cette «utopie», Paul Déroulède, en ce début d'année 1914, n'en avait pas le monopole.

FANTÔMAS
LE POLICIER APACHE

1914
MARS

FANTÔMAS
AU BAL MASQUÉ

Affiche du film *Fantômas, le Policier apache*,
sorti en salles en février 1914.

mpatiente de connaître la suite des aventures de Fantômas, la foule parisienne se presse, ce 13 mars, au Gaumont Palace, un cinéma de 3 400 places, le plus grand d'Europe, inauguré en 1911, non loin de la place Clichy. Le précédent épisode, *Le mort qui tue*, s'était achevé par ces mots prometteurs de nouvelles aventures sanglantes : « Une fois de plus, Fantômas, le maître du crime, était libre. » Il avait beau être arrêté, emprisonné, voire condamné à mort, chaque fois le « roi de l'épouvante » réussissait à s'échapper, tenant en haleine les spectateurs. Cette fois, nous en sommes au quatrième épisode de cette série cinématographique, *Fantômas contre Fantômas*.

Louis Feuillade, quand il commence, en 1913, à adapter les romans de Pierre Souvestre et Marcel Allain, était déjà un réalisateur confirmé et prolifique. D'origine méridionale – il était né en 1873 à Lunel, dans l'Hérault –, il avait d'abord tâté du journalisme après son arrivée à Paris, écrit des drames historiques, jusqu'à son entrée aux établissements Gaumont, où il avait appris le cinéma et dont il était devenu le directeur artistique en 1907. Voulant échapper au genre burlesque qui dominait alors la production, il tournait, à côté des comiques, des drames historiques ou policiers. En 1910, il avait créé un personnage, Bébé, dont il multipliait les avatars pour l'enchantement des foules. Au total, une production profuse, 80 films par an! Par souci d'économie, il avait regroupé ses nouvelles réalisations sous le titre général *La vie telle qu'elle est*, un cinéma moderne, sans perruques ni décors trop coûteux. Il en était là de ses multiples créations lorsqu'il s'avisa en 1913 d'adapter *Fantômas*, le roman populaire qui, depuis deux ans, se vendait en fascicules, dans la célèbre collection de Fayard «Le livre populaire», à 65 centimes.

Six ans après Arsène Lupin, avait pris forme sous la plume de Souvestre et Allain un nouveau personnage fabuleux, insaisissable voleur usant de tous les stratagèmes, multipliant les déguisements et les coups fourrés, mais celui-là n'avait rien d'un «gentleman», sauf quand il voulait donner le change: c'était un bandit sans scrupules, un assassin sans vergogne, un génie du mal. Le mot-valise que ses créateurs avaient inventé le désignait comme un fantôme masqué, défiant la police et semant la terreur. À vrai dire, Allain eut d'abord l'idée de l'appeler Fantomus, c'est à la suite d'une erreur de lecture de Fayard qu'il devint Fantômas – une jolie trouvaille involontaire. Il s'accoutrait, dans l'exercice de ses forfaits, d'un collant noir, d'une cagoule et d'une vaste cape, que les affiches et les couvertures du dessinateur Gino Starace avaient popularisés. L'engouement pour ce personnage diabolique révélait la fascination d'une époque pour la violence, les faits divers, les mœurs des «apaches» – ainsi qu'on avait baptisé les délinquants des quartiers dangereux de la «zone». Les attentats anarchistes des années 1890 avaient été suivis par une progression inquiétante de la criminalité. L'histoire de Casque d'or, surnom donné à Marie-Hamélie Hélie, avait défrayé la chronique. Souvestre, justement, avait fait ses débuts de reporter en allant interviewer la pierreuse dans sa prison. On s'était alarmé des thèses du savant Lombroso, selon lequel il existait un criminel de naissance et donc une fatalité du crime. Une nouvelle forme de banditisme avait effrayé l'opinion, celle des malfaiteurs en automobile : la «bande à Bonnot» avait allumé la tête des lecteurs de journaux entre 1911 et 1913. La ville, démesurément gonflée, devenait le théâtre ordinaire des assassins dont les manifestations étaient relatées dans un style sensationnel par la presse populaire. C'est dans ce climat propre à exciter l'imagination qu'était né le succès inouï de *Fantômas*, le «Roi du crime», le «Maître de l'effroi» : «Ah ! Fantômas est bien un génie, le génie de l'audace, le roi de l'épouvante, le monstre qui s'attaque à tout, qui ne redoute rien, pour qui rien n'est sacré !... »

Fantômas était né d'une commande d'Arthème Fayard, qui lisait avec beaucoup d'attention les feuilletons que Souvestre et Allain publiaient dans *L'Auto*. Il leur proposa d'écrire une série de bouquins débordant d'intrigues inconcevables, avec les mêmes personnages – et surtout un personnage principal capable de faire peur. La première livraison dépassa toutes les espérances de vente. Journalistes, ni Souvestre ni Allain ne se prenaient pour des écrivains ; ils voulaient amuser, intriguer, entretenir une agréable angoisse. Ils écrivaient à toute vitesse, en dictant. Mais la puissance du personnage, l'imbroglio de ses aventures, les apparitions et les disparitions de l'homme à la cagoule, son cynisme, le caractère subversif de ses agissements qui défiaient l'ordre établi, se moquaient de la force publique et triomphaient de toutes les souricières créaient d'emblée un mythe ténébreux. L'agent de la Sûreté Juve et son collaborateur occasionnel, le journaliste Fandor, s'échinaient à traquer le bandit, lui creusaient des chausse-trapes, mais, s'il leur arrivait de surprendre Fantômas, c'était bientôt peine perdue, il fallait repartir de zéro.

Feuillade y trouva la riche matière d'un film à épisodes, un projet que Souvestre et Allain approuvèrent avec enthousiasme. Lui non plus ne prétendait pas au grand art. Il considérait le cinéma comme une industrie, tournait des films pour le plus vaste des publics, avec une rapidité qui rivalisait avec celle des deux auteurs. Il tourna les trois premiers épisodes en 1913 : ce furent, coup sur coup, *Fantômas*, *Juve contre Fantômas* et *Le mort qui tue*. Feuillade avait confié le rôle principal à René Navarre, prenant successivement la tête d'un professeur barbu, d'un banquier glabre, d'un avocat douteux, d'un liftier occasionnel, d'un détective américain, ou d'un mauvais garçon au milieu de sa bande d'apaches. Navarre était devenu une vedette, qu'on saluait dans les restaurants et qu'on abordait dans la rue.

D'emblée, le spectateur fut frappé par la beauté plastique des images, les contrastes du noir et blanc, le merveilleux des surprises ménagées par le héros au cœur de la ville. Paris, en effet, était le décor naturel de ses méfaits. Feuillade multipliait les prises de vues dans les rues, où l'automobile devenait reine ; il n'hésitait pas à filmer dans le métro, dans les gares, dans les trains, dans les quartiers populaires, les terrains vagues de banlieue, ce qui lui permettait de concilier le réalisme du décor avec le fantastique du scénario. Les scènes intérieures étaient filmées dans les établissements Gaumont de La Villette qui occupaient 15 000 mètres carrés de terrain, où les studios voisinaient avec un vaste atelier de décors, un garde-meuble, une imprimerie qui imprimait les annonces polychromes destinées aux murs de la capitale. Ce n'est pas le seul public populaire qui s'entiche de l'assassin mirobolant, Guillaume Apollinaire en témoigne dans le *Mercure de France*: «La lecture de Fantômas, de Pierre Souvestre et de Marcel Allain, est en ce moment fort à la mode dans plusieurs milieux littéraires et artistiques. Cet extraordinaire roman plein de vie et d'imagination, écrit n'importe comment, mais avec beaucoup de pittoresque et d'imagination, a trouvé, grâce à la vogue que lui a conférée le cinéma, un public cultivé qui se passionne […]. *Fantômas* est, au point de vue imaginatif, une des œuvres les plus riches qui existent.»

Fantômas contre Fantômas était tiré de l'épisode du «Livre populaire» intitulé *Le Policier apache*. Le réalisateur ne pouvait adapter l'ensemble du récit qui s'étendait sur plus de 300 pages. Le film ne durait que 59 minutes. Feuillade simplifiait, choisissait dans le foisonnement des scènes du livre les passages les plus forts, les plus aptes à faire frissonner le public. L'une d'elles, qui explique le titre, est un grand bal masqué donné en son hôtel par la grande-duchesse Alexandra, qui n'est autre que l'ancienne maîtresse de Fantômas, Lady Beltham. Le bandit avait eu l'idée de ce bal en vue d'une souscription destinée à favoriser... l'arrestation de Fantômas – une idée qui pouvait rapporter une jolie somme. L'audace du personnage est d'arriver au bal dans son travestissement cagoulé. Mais deux autres invités ont eu le projet de se déguiser de la même façon, en collant et cagoule noirs, le journaliste Fandor et un inspecteur de la Sûreté. Fantômas n'hésitera pas à provoquer en duel le policier et à le laisser mort dans le parc de l'hôtel. Avant la découverte du cadavre, il quitte le bal après s'être fait soigner une blessure au bras. Plus tard, à la prison de la Santé, où l'inspecteur Juve, soupçonné d'être Fantômas, attend son procès, la police découvre une blessure à son bras! N'est-ce pas la preuve de sa culpabilité? Mais comment aurait-il pu s'échapper de la prison et surtout y revenir? On découvre la clé de l'énigme: un gardien complice de Fantômas a endormi Juve d'un narcotique, pour lui infliger cette blessure. La supercherie incroyable étant établie, le policier prétendu «apache» est libéré et repart aux trousses du monstre, auquel, à la fin de l'épisode, il échappera une nouvelle fois: «De nouveau Fantômas s'élançait sur le chemin du crime.» À suivre.

Malheureusement, les lecteurs du roman peuvent alors se demander s'il y aura d'autres épisodes: Pierre Souvestre vient de mourir. Mais Louis Feuillade est déjà dans la réalisation de son cinquième épisode, *Le Faux Magistrat*.

GIDE
LE PROVOCATEUR

Portrait d'André Gide
par Jacques-Émile Blanche, 1912.

L*a Nouvelle Revue française* achève de publier dans son numéro d'avril *Les Caves du Vatican* d'André Gide, qu'il n'a pas qualifié de « roman » mais de « sotie ». Mais encore ? On a consulté le Littré : « Pièce de notre ancien théâtre, y lit-on, sorte de satire allégorique dialoguée, où les personnages étaient censés appartenir à un peuple imaginaire nommé le peuple sot ou fol, lequel représentait, aux yeux des spectateurs, les dignitaires et personnages du monde réel. » Bref, une farce, une bouffonnerie, et, sous la plume de Gide, un récit ironique, où il se moque du tiers et du quart.

Un récit complexe, au demeurant, puisqu'il entremêle trois histoires différentes. Les deux premières sont inspirées par des faits divers authentiques datant des années 1890. D'abord une énorme escroquerie fondée sur une prétendue « croisade pour la délivrance du pape » (Léon XIII), séquestré par une coalition de cardinaux, et remplacé par un faux pape sur le Saint-Siège. Ensuite, l'éclatante conversion au catholicisme, qui fit grand bruit en Italie, d'un haut dignitaire de la franc-maçonnerie. Quant à la troisième histoire, celle de Lafcadio, auteur de l'acte gratuit qui en fait le héros de l'ouvrage, elle était purement imaginaire, mais rappelait celle de Raskolnikov de Dostoïevski, dans *Crime et châtiment*. Comment réunir en bouquet ces trois intrigues ?

Le talent de Gide y a pourvu grâce aux liens de parenté tissés par lui entre ses personnages. Il invente trois sœurs, filles d'un botaniste, qui portent des prénoms de fleurs, dont les trois époux sont au cœur de chacun des récits : Véronique, la femme du franc-maçon miraculé qui se convertit ; Marguerite, dont l'époux Julius de Baraglioul, romancier catholique, se retrouve au centre du drame vaticanesque ; enfin Arnica, épouse légitime par un mariage blanc avec Amédée Fleurissoire, future victime de Lafcadio. Ajoutons que le même Lafcadio est le fils naturel de Juste-Agénor de Baraglioul, ce qui lui crée un lien de fraternité avec Julius et, du même coup, le fait à son insu l'assassin de son beau-frère Amédée. Vous suivez ? Gide a su, magistralement, tresser les trois scénarios apparemment indépendants grâce à une composition longuement élaborée. Il en résulte un livre drôle, impertinent, caustique, dont les institutions et les autorités de toutes sortes font les frais.

André Gide, le parpaillot, raille à loisir la papauté, ses pompes et ses bigots. La manière dont la comtesse Guy de Saint-Prix, sœur puînée de Julius, est spoliée d'une grosse somme d'argent par un faux chanoine, onctueux et disert, qui lui démontre que, si le pape était le vrai pape, il n'y aurait pas eu cette encyclique invitant les fidèles au « ralliement » de la République est hautement comique : «Oui, oui, je sais, Madame, combien votre grand cœur de comtesse a souffert d'entendre la Sainte Église renier la sainte cause de la royauté ; le Vatican, applaudir à la République. [...] Rassurez-vous, Madame la Comtesse ! mais songez à ce que le Saint-Père captif a souffert en entendant ce suppôt imposteur le proclamer républicain !» La comtesse y va des 60 000 francs que lui soutire le soi-disant ecclésiastique, tout en escomptant en récupérer une partie en se faisant elle-même croisée du pape. Son frère Julius, en romancier catholique, aussi pieux qu'insipide, qui court après l'Académie à force de publications exsangues, pauvre gobeur lui aussi, n'est pas mal non plus. Symétriquement, Gide se gausse du scientisme et de l'anticléricalisme outrancier, incarné par le savant Anthime Armand-Dubois, aux imprécations grandiloquentes, aux colères grotesques, et dont les certitudes ne résistent pas à la guérison miraculeuse de son arthrose.

En même temps, les principaux personnages ne sont pas de simples marionnettes. Leur ambivalence est un des moteurs du récit : Anthime qui abandonne ses expériences pour la foi, puis retourne à l'incroyance avec le retour de sa maladie ; Julius, auquel on donnerait le bon Dieu sans confession, aspiré par des désirs condamnables et au bord, du moins momentanément, de perdre sa foi ; Lafcadio lui-même, tantôt héros intrépide qui sauve des enfants dans un incendie et bientôt auteur d'un crime gratuit, accompli pour le plaisir dans un parfait désintéressement. Même le pieux Amédée, parti pour Rome en chevalier moderne de la Sainte Église, finit par tomber dans les draps d'une prostituée. Les personnages échappent à leur caricature sociale lorsque l'imprévu les saisit, les fait tomber de haut, et leur ôte leur masque.

Famille, Église, Académie, morale, conventions, Gide sape les socles de la société bourgeoise. On comprend que *Les Caves du Vatican* n'emportent pas l'adhésion de tous.

Le plus brutal dans ses réactions est Paul Claudel. Poète catholique, «marteau-pilon», «cou de taureau», «cyclone figé», selon les expressions de Gide, Claudel, qui «parle à voix très haute, comme un convaincu», entretient avec l'auteur depuis une quinzaine d'années une correspondance, où le converti tente de convertir, croit y réussir, sait ébranler la sensibilité religieuse de son ami, mais échoue finalement dans son œuvre missionnaire. Les ouvrages que publie Gide l'inquiètent, c'est un poisson insaisissable pour ce pêcheur d'âmes. Quelle que soit l'affection de Claudel, celui-ci a aussi des raisons plus matérielles de ménager son confrère, grand manitou de *La NRF*, dont le succès grandissant assure à l'écrivain Paul Claudel une diffusion de ses œuvres au-delà d'un cercle restreint, grâce à ce foyer de culture en passe de s'affirmer le cœur reconnu de la création littéraire française. Gide, qui l'admire, résiste à ses prêcheries, mais le harcèlement apostolique et romain le heurte souvent: «Je voudrais n'avoir jamais connu Claudel, écrit-il dans son Journal en 1912. Son amitié pèse sur ma pensée, et l'oblige et la gêne...» *Les Caves du Vatican* sont écrites, au moins indirectement, contre Claudel. Celui-ci, depuis janvier, lit le roman de Gide dans *La NRF*, avec un malaise croissant. L'avant-dernière livraison le jette hors de ses gonds. Le 2 mars, il lui adresse une lettre comminatoire:

«Au nom du Ciel, Gide, comment avez-vous pu écrire le passage que je trouve à la page 478 du dernier N° de *La NRF*? Ne savez-vous pas qu'après *Saül* et *L'Immoraliste* vous n'avez plus une imprudence à commettre? Faut-il donc décidément croire, ce que je n'ai jamais voulu faire, que vous êtes vous-même un participant de ces mœurs affreuses?» Claudel a été horrifié par un passage où Lafcadio, se remémorant son adolescence, fait allusion à un échange qu'il a eu «sous la tente» avec l'un de ses «oncles», c'est-à-dire un amant de sa mère. Claudel menace: «Si vous n'êtes pas un pédéraste, pourquoi cette étrange prédilection pour ce genre de sujets? Et si vous en êtes un, malheureux, guérissez-vous et n'étalez pas ces abominations.»

À cette lettre, Gide répond avec une totale sincérité: il est marié, il aime sa femme plus que sa vie, mais il n'a jamais éprouvé «de désirs devant la femme». Il avoue son mariage blanc: «La grande tristesse de ma vie, c'est que le plus constant amour, le plus prolongé, le plus vif, n'ait pu s'accompagner de rien de ce qui d'ordinaire le précède. Il semblait au contraire que l'amour empêchât le désir.» Il ne peut pas résoudre ce problème «que Dieu a inscrit dans [s]a chair». Comme l'écrit André Dupont, collaborateur de *La Phalange*: «Comment marier la Saint-Barthélemy avec l'Édit de Nantes? Claudel est sûr de ce qu'il avance, il sait qu'il possède la foi. Il ne discute pas, il affirme. Gide est au contraire fureteur et inquiet, soucieux avant tout de préserver son quant-à-soi.»

Le marteau-pilon pilonne. Non, il n'y a pas de déterminisme physiologique! Dieu déteste la sodomie! Il faut guérir! Consulter un prêtre! Et il le supplie d'effacer le passage qu'il juge délictueux dans l'édition des *Caves* en livre. Ce sera non. Claudel s'agite, écrit à Francis Jammes, autre poète catholique. Jammes passe un savon à Gide: «Après *Saül*, après *L'Immoraliste* [...], ce passage de *La Nouvelle Revue française* page 478 ne pouvait que te porter le dernier coup. Non seulement dans ta dernière œuvre tu as raillé ma mère l'Église comme Voltaire n'eût pas osé et comme à peine Remy de Gourmont, mais tu t'es déconsidéré toi-même. » Réplique de Gide : « Combien tu serais moins fort contre moi si tu étais un tout petit peu plus capable de comprendre les êtres qui ne sont pas ta ressemblance : un Beethoven, un Pascal, un Dostoïevsky. Mais quand je t'entends parler de ce dernier, par exemple, comme d'un fou ou d'un nègre, tu comprendras que cela me rassure un peu sur les jugements que tu portes sur moi. »

André Gide, malgré les espérances de Claudel ou de Jammes, ne se convertira pas au catholicisme. Pour l'heure, la discussion porte surtout sur l'acte gratuit, le crime sans motif. Paul Léautaud s'en va répétant que c'est une absurdité, une « ânerie ». Est-ce par là que le roman pèche ou est-ce par là que le roman fascine et s'impose ? Sans Lafcadio et la scène meurtrière du compartiment de chemin de fer, on eût peut-être réduit *Les Caves du Vatican* à une simple pochade, un amusement de lettré, mais il y a cette figure méphistophélique qui va hanter les esprits, inspirer d'autres créateurs, provoquer les débats. La fin du livre boucle la provocation : Lafcadio tombant dans les bras de Geneviève, fille de Julius, et donc sa nièce (on devrait dire belle-nièce, comme on dit belle-fille). Allons bon ! Après la pédérastie, l'inceste ! Ce Gide sent le soufre, décidément.

Le Petit Journal

ADMINISTRATION
61, RUE LAFAYETTE, 61

Les manuscrits ne sont pas rendus

*On s'abonne sans frais
dans tous les bureaux de poste*

5 CENT. SUPPLÉMENT ILLUSTRÉ **5** CENT.

25ᵐᵉ Année — 44 — Numéro 1.220

DIMANCHE 5 AVRIL 1914

ABONNEMENTS

	SIX MOIS	UN AN
SEINE et SEINE-ET-OISE	2 fr.	3 fr. 50
DÉPARTEMENTS	2 fr.	4 fr.
ÉTRANGER	2 50	5 fr.

LA COMMISSION D'ENQUÊTE SUR L'AFFAIRE ROCHETTE
Déposition de M. Fabre, procureur général

1914
AVRIL – JUIN

LA RÉPUBLIQUE DES
CAMARADES

——

«La commission d'enquête sur l'affaire Rochette:
déposition de M. Fabre, procureur général»,
couverture du supplément illustré du *Petit Journal* paru le 5 avril 1914.

n mars et avril 1914, un scandale politico-financier, l'affaire Rochette, a donné lieu à un débat parlementaire, qui mettait en cause les ministres Monis et Caillaux, accusés d'avoir favorisé la remise du procès en appel de l'aventurier en finance Henri Rochette, condamné en 1910, lequel en avait profité pour fuir au Mexique. Au début de mars 1914, Calmette, directeur du *Figaro*, entame une campagne contre Joseph Caillaux, ce qui lui vaut d'être tué par Henriette Caillaux, l'épouse du ministre des Finances, exaspérée par les révélations indiscrètes du journaliste. N'y avait-il pas quelque chose de pourri dans la République ? Cette affaire défraye encore la chronique lorsque Robert de Jouvenel publie au mois d'avril *La République des camarades*, un pamphlet contre le régime politique en place.

Jouvenel a écrit son livre avant les conclusions de l'affaire Rochette. À ses yeux, la République ne souffre pas des grands scandales, plutôt rares, mais de petits scandales bien plus nombreux, d'institutions déplorables et de mœurs délétères qu'il résume d'un mot : « La République n'est plus qu'une grande camaraderie. » Il veut le démontrer en analysant la vie quotidienne, la routine et le tout-venant des trois pouvoirs – exécutif, législatif, judiciaire – qui sont le fondement de l'État, et en y ajoutant le « quatrième pouvoir », qui n'en était pas un du temps de Montesquieu : la presse.

Frère cadet d'Henry de Jouvenel, le rédacteur en chef du *Matin*, lui-même collaborateur de *L'Œuvre*, hebdomadaire non conformiste et satirique, sans unité idéologique, Robert de Jouvenel connaît bien les milieux politiques, pour avoir été journaliste parlementaire. Son ouvrage, immédiatement couronné par un succès de presse, est d'autant plus fort qu'il évite systématiquement « le cas monstrueux » au profit du « cas normal ». Sa description du Palais-Bourbon n'en est pas moins impitoyable. Il démontre à quel point la députation est devenue un métier, un *job* à sauvegarder coûte que coûte : « Lorsqu'on est devenu député, on ne doit plus avoir qu'une préoccupation essentielle : le rester. » À cet effet, répondre le mieux possible aux demandes de ses commettants dont, au scrutin d'arrondissement, il dépend si étroitement. Il reçoit des placets en veux-tu en voilà, démarche les ministres intéressés, ne ménage ni son temps ni sa peine aux quémandeurs, c'est là sa principale occupation.

Tous les députés, quelle que soit leur couleur politique, se serrent les coudes face à cet ennemi commun qui les emploie et les menace toujours de leur lâchage : l'électeur. Se créent entre eux une solidarité, des renvois d'ascenseur, des soutiens mutuels, toutes choses qui s'expriment dans les couloirs, les salons, la buvette de la Chambre. En séance, ils peuvent émettre des jugements discordants, élever la voix, fustiger un ministre, mais c'est pour la galerie et les journaux. Sortis de séance, ils se tutoient entre adversaires, il est impérieux de ne pas se nuire les uns les autres, c'est l'esprit de la maison.

Un chapitre particulièrement éclairant est consacré aux groupes parlementaires, qu'il ne faut pas confondre avec les partis – hormis le cas du parti socialiste. Les autres groupes n'imposent à leurs membres aucune discipline de vote, les dissidences internes sont sans importance, car on n'appartient pas à un groupe pour des raisons idéologiques mais en fonction d'une stratégie personnelle. Appartenir à un groupe est indispensable pour briguer une commission et, au-delà, pour prétendre à un portefeuille de ministre. À la formation d'un gouvernement, son nouveau chef s'efforce en effet de choisir des collaborateurs dans chaque groupe, ministres ou secrétaires d'État. D'autres fonctions, lucratives, complètent le tableau de chasse : la présidence de la Chambre, la vice-présidence, la questure. Pour parvenir à ces places, nul besoin d'être un grand talent, une disposition y suffit : la complaisance, un savoir-vivre parlementaire qui rend le postulant sympathique et bon camarade. « Un groupe, écrit l'auteur, ce n'est pas une organisation politique, c'est une union corporative. Il n'a pas été créé pour faire triompher une doctrine mais pour permettre à un certain nombre d'individus d'arriver sans se bousculer. »

On assiste ainsi à une sorte de neutralisation générale qui interdit pratiquement les grandes réformes. Quand celles-ci sont défendues à la tribune, le système des amendements anéantit leurs principes. « Rien ne ressemble moins au projet de loi que le texte définitif que l'on adopte. » Quand même elles sont adoptées, leur réalisation est on ne peut plus douteuse : ceux-là mêmes qui en conçoivent et proposent le projet s'appliquent à les saboter. Résultat : stagnation, stagnation sur toute la ligne.

Cet immobilisme est également perceptible dans le rôle des ministres. Ceux-ci, plus ou moins compétents, sont à la merci d'une administration et de fonctionnaires qui, eux, prétendent en savoir plus que l'amateur qui a pris la barre du pilote. Lui, le ministre, ne fait que passer ; le fonctionnaire assure la continuité. Certes, il a besoin du ministre qui a la signature, mais « les administrations ne sont pas faites pour s'adapter à la fantaisie des ministres. Ce sont les ministres qui doivent s'adapter aux méthodes de leurs administrations ». Jugement implacable qui fait du ministre le « prisonnier des bureaux ». Il lui reste les faveurs à accorder, les promotions à assurer, les nominations à pourvoir, et, dans ce domaine, Jouvenel constate la loi du népotisme – une autre tare du système.

S'il est moins convaincant dans son analyse critique de la magistrature, Jouvenel a le mérite, lui journaliste, de fustiger, sur un ton qui n'est jamais celui d'un Juvénal, mais d'un observateur ironique, l'état de la presse. Hormis quelques feuilles, sans grand nombre de lecteurs, les journaux ne sont pas indépendants. Entre la presse et le gouvernement, un système d'échange s'est établi : le gouvernement donne aux journalistes des informations et les journalistes ménagent le gouvernement. Une relation de proximité s'est créée. Qu'on regarde un peu les voyages officiels auxquels les reporters sont invités, qui partagent des places dans le train spécial et qui sont hébergés à l'œil. Plus encore peut-être, la presse est tributaire de la publicité, et donc des puissances commerciales.

Les plus gros annonceurs sont dans l'ordre les pharmaciens et les droguistes, les banques et les sociétés de crédit, les marchands de mode et de nouveautés, les industries alimentaires, les constructeurs d'automobiles. Il faut être réservé à leur égard, ne pas donner sur eux des nouvelles qui fâchent. «Non seulement la presse est respectueuse des maisons de commerce mais il n'existe même pas un corps de métier, pas un groupe social, dont elle puisse parler avec indépendance.» Entre les pouvoirs et la presse, des relations d'obligeance se sont tissées. «Un journaliste, écrit Robert de Jouvenel, c'est un monsieur qui a son service aux répétitions générales, qui a ses entrées dans les deux Chambres et dans les coulisses des petits théâtres, qui fréquente les hommes au pouvoir et les actrices à la mode, qui soupe tous les soirs et possède, comme les ambassadeurs, un coupe-file pour éviter à sa voiture l'obligation d'attendre aux carrefours.» Tous camarades.

Il faut en finir avec ce régime qui stagne, sans contrôle, sans perspective. L'auteur conclut à l'impérieuse nécessité d'une réforme constitutionnelle. La Constitution date de 1875, un compromis entre républicains et monarchistes modérés; elle a été très faiblement amendée. Il est temps de la remplacer.

L'ensemble des quotidiens accueille *La République des camarades* dans ses premières colonnes: un livre éclairant, bien écrit, savoureux et sévère. Mais la plupart des journaux se gardent d'évoquer ce que Jouvenel dit du «quatrième pouvoir». Si ce n'est *L'Action française* qui, sous la plume de Pierre Lasserre, se montre le plus enthousiaste des critiques. Évidemment, Jouvenel reste un naïf qui s'imagine remettre sur pied le régime républicain avec une révision constitutionnelle – sur laquelle, du reste, il n'est guère prolixe. «Mais

comme historien perçant et léger, comme analyste vif et spirituel, des mœurs inhérentes à notre état politique, comme
moraliste fin et écrivain du plus joli tour, il m'a charmé. Son
livre est d'une qualité française.» Suprême compliment à
l'adresse d'un auteur qui pressent la «décadence d'un régime
politique» sans vertu ni volonté. Encore un effort de lucidité,
Jouvenel! et vous comprendrez peut-être un jour que la seule
solution est la restauration monarchique: c'est la conclusion
sous-entendue de l'article.

Quelques semaines plus tard, au mois de juin, est publiée en
français une remarquable étude de Roberto Michels, un sociologue italo-germanique, qui, sous l'intitulé banal – *Les Partis
politiques* –, traite d'un phénomène observable dans toutes
les démocraties et que le sous-titre de l'ouvrage annonce:
Essai sur les tendances oligarchiques des démocraties. Déjà,
Robert de Jouvenel avait écrit dans son livre qu'en France
quelques centaines ou au plus quelques milliers de personnes
détiennent «la puissance publique à des titres divers». La
France est gouvernée par «le gouvernement d'un certain
nombre». Il en appelait à l'«organisation». Cependant l'essai
de Michels, qui porte sur la sociologie des pouvoirs dans la
puissante social-démocratie allemande, démontre que même
dans un parti organisé, régi par des règlements démocra-
tiques, le pouvoir échoit finalement à une équipe restreinte
et quasi inamovible de dirigeants. Des millions d'adhérents,
la libre parole, des congrès réguliers, des votes contrôlés, rien
ne peut ébranler le pouvoir des chefs. Lesquels sont le plus
souvent de surcroît des intellectuels issus de la bourgeoisie,
un comble pour un parti prolétarien. La masse, le peuple,
les camarades ne sont jamais souverains que de manière
abstraite. En démocratie, c'est toujours une oligarchie qui

gouverne. Comment abolir ce qu'il appelle cette « loi d'airain » ? Quel contrepoids y opposer ?

Non plus que Robert de Jouvenel, Roberto Michels n'est antidémocrate. Comme lui, il cherche les parades institutionnelles et morales à cette tendance apparemment inéluctable. L'éducation des masses en est la condition. Le scepticisme de Michels affleure néanmoins, même s'il défend encore la démocratie : « Les défauts inhérents à la démocratie ne sont malheureusement que trop certains. Il n'en est pas moins vrai que, considérée comme une forme de la vie sociale, elle constitue encore le moindre mal. L'idéal absolu serait une aristocratie d'hommes moralement bons et techniquement capables. Mais où trouver cette aristocratie ? »

En moins de deux mois, ces deux ouvrages, si différents dans leur nature, sont les nouveaux jalons d'une réflexion inquiète sur le système républicain démonétisé. La nouveauté, depuis quelque temps, est que l'analyse critique n'est plus le monopole des monarchistes, des nostalgiques de l'Empire, des ligues nationalistes : ce sont des écrivains, des hommes politiques de gauche, des républicains qui en viennent à dénoncer le caractère d'irresponsabilité du système politique.

Marcel Sembat, avocat et journaliste, collaborateur de Jaurès à *L'Humanité*, député socialiste éminent, avait écrit en 1913 un libelle pacifiste, *Faites un roi sinon faites la paix*. L'idée en était qu'un régime démocratique, par nature pacifique, n'était pas en mesure d'affronter militairement des États autoritaires. *L'Action française* en avait tiré argument pour sa cause monarchiste. Cependant, ces ouvrages de 1914 posaient, entre les lignes, la question de Sembat : et si la guerre survenait, la République parlementaire serait-elle capable de faire front ?

1914
JUIN

SUCCÈS POUR PAUL CLAUDEL

Paul Claudel
avec l'acteur, metteur en scène et directeur de théâtre
Aurélien Lugné-Poë sur la scène du Théâtre de l'Œuvre,
lors des répétitions de la pièce *L'Otage* en juin 1914.

a *République des camarades*? Une aimable bluette pour Paul Claudel consul général de la République française à Hambourg! Au moment des élections législatives d'avril-mai 1914, il confie à son journal ce qu'il pense, lui, de la démocratie:

«Chaque élection ouvre une vue d'ensemble sur la bêtise et la méchanceté des Français: spectacle accablant! Sans gloire, sans honneur puisque sans lutte, nous nous enlisons au milieu de cette masse de stupidité et d'inertie. Peut-on s'imaginer un système de gouvernement plus idiot que celui qui consiste à remettre tous les quatre ans le sort du pays et la solution des questions les plus graves et plus délicates, non pas au peuple, mais à la foule, à une cohue de réunion publique! C'est une véritable gageure. Tous les quatre ans, la France désigne ses représentants dans un accès de catalepsie alcoolique.»

Au vrai, en ce printemps 1914, Claudel est surtout soucieux de la représentation de *L'Otage*, une pièce de théâtre qu'il a écrite quatre ans plus tôt et qui avait été publiée parmi les premiers livres du Comptoir d'édition de *La Nouvelle Revue française* géré par Gaston Gallimard, en 1911. Lugné-Poë lui avait proposé de la monter au théâtre de l'Œuvre, mais, prudent, Claudel avait préféré lui donner la pièce suivante, *L'Annonce faite à Marie*, dont la première représentation avait eu lieu en décembre 1912. Coup d'essai, coup de maître : Claudel s'imposait à une critique sourcilleuse ; même l'acide Paul Léautaud, alias Maurice Boissard, s'était dit touché. Encouragé, Claudel avait donné à Jacques Copeau *L'Échange*, que le Vieux-Colombier représenta en janvier 1914. Cette fois, Léautaud n'avait pas marché : « M. Paul Claudel [...] n'est qu'un rhéteur, et d'une rhétorique fort défectueuse et même rugueuse. » Mais Léautaud, c'est Léautaud, et bien des critiques ne furent pas de son avis. Le « génie lyrique » de l'auteur était célébré par plusieurs journaux. Claudel accepte alors de voir représenter *L'Otage* au théâtre de l'Œuvre.

Ce drame en trois actes narre une singulière histoire, dont le sens ne faisait pas l'unanimité. Claudel était parti de deux faits historiques sans liens directs : la décrépitude de l'aristocratie d'Ancien Régime et la captivité imposée au pape Pie VII par Napoléon à la suite de son refus d'instituer les évêques nommés par le gouvernement français dans ses anciens États. En 1812, alors que l'empereur est en Russie, Sygne de Coûfontaine accueille son cousin Georges dans le château familial qu'elle a restauré. Georges, par ruse, a enlevé le pape Pie VII tenu prisonnier à Fontainebleau par « l'Usurpateur », dans l'intention de le faire passer en Angleterre, où il pourra cautionner de toute son autorité spirituelle la cause royaliste.

Mais le pape refuse, sa place est à Rome. Georges confie alors à Sygne la garde du pontife, après que lui et sa cousine se sont promis mariage pour sauver la lignée des Coûfontaine. Intervient alors le baron d'Empire Turelure, préfet de la Marne, un rustaud savonné, dont la mère a été la gouvernante des Coûfontaine, ce qui ne l'a pas empêché, lui, d'envoyer ses maîtres à l'échafaud. Turelure, qui a découvert la présence du pape, propose à Sygne un marché : il l'épousera avec son titre et ses biens et, en échange, il sauvera le pape. La jeune fille recule, horrifiée. Mais le curé du village, l'abbé Badilon, lui fait accepter ce sacrifice. De cette union va naître un fils.

Au dernier acte, qui se déroule à Paris, en 1814, pendant la campagne de France qui verra la défaite de Napoléon, Turelure, devenu préfet de la Seine, se met du côté de Louis XVIII et de la restauration, à l'instar de Talleyrand qui, dans la réalité, a entraîné le conseil général de la Seine à proclamer le rétablissement de Louis XVIII. Survient Georges qui, apprenant la haine que Sygne nourrit à l'endroit de son mari, décide de tuer Turelure. Mais, dans l'affrontement, c'est lui qui meurt, tandis que Sygne, qui a voulu s'interposer, est elle-même blessée à mort. Le roi arrive. Turelure devient comte. Comme il disait au début de l'acte III : « La France, pour le moment, c'est moi, Toussaint Turelure. »

S'agit-il d'une pièce réactionnaire, comme certains le croient ? Claudel ne fait-il pas l'apologie de l'Ancien Régime et ne condamne-t-il pas la Révolution ? Il est difficile de suivre cette interprétation, tant Georges de Coûfontaine paraît un homme du passé. L'apothéose, peut-être provisoire, de Turelure, l'homme issu de la roture, montre le compromis entre l'Ancien Régime et la Révolution, comme le manifestera la Charte. Claudel dira : « Dans le fond, je donne tort à tous mes personnages (sauf au pape) et je veux que la pièce se termine par une impression de suspens, que j'ai accentuée jusqu'à l'atrocité dans le dénouement nouveau que j'ai rédigé pour Lugné. »

En tout cas, la petite salle Malakoff du théâtre de l'Œuvre a retenti d'applaudissements. La critique est largement favorable. Edmond Sée, dans *Gil Blas*, dit son enthousiasme. Gaston de Pawlowski, dans *Comœdia*, risque le mot « génie ». Pour Robert de Flers, du *Figaro*, il s'agit d'une « œuvre d'une grande beauté et d'une grande émotion. Sa valeur n'est point seulement lyrique, littéraire, mais aussi dramatique. Plusieurs scènes sont conduites avec un sens de la progression tout à fait remarquable ». Le même critique émet cependant une double réserve. Il parle de la beauté « un peu confuse » de la pièce, en repérant plusieurs sujets, l'un historique – « la lutte de la vieille France monarchique et de la France nouvelle, fille de la Révolution » ; l'autre psychologique – l'opposition entre « l'esprit de renoncement et l'esprit d'égoïsme » ; un autre encore, religieux celui-là – le sacrifice et la souffrance de Sygne, non imposés mais acceptés, et qui doivent briser son orgueil pour sauver le monde. « C'est trop ! » Et puis, second reproche, le troisième acte est un peu trop mélodramatique. N'importe, écrit Robert de Flers : c'est un « spectacle d'une rare émotion ».

Devant le succès, le metteur en scène Lugné-Poë, qui est aussi acteur (il interprète le curé Badilon), décide de louer l'Odéon où *L'Otage* est repris les 18, 19 et 20 juin. Trois soirées triomphales, avec record des recettes, et, selon Lugné, « une salle qui trépigne d'enthousiasme ».

Il est frappant de voir à quel point les critiques de théâtre fort éloignés du catholicisme ont écrit leur admiration. C'est ainsi que Léon Blum la manifeste : «Dans ces amples dialogues, le système d'idées symbolisé par chacun des héros se déploie avec un appareil régulier et magnifique. Le drame s'avance comme une procession, s'alterne comme les paroles et les répons d'un chant liturgique. Il est écrit dans une langue entièrement originale, à la fois rustique et subtile, archaïque et innovée. Le ton passe de la truculence rabelaisienne à une sorte d'émotion sacrée.»

Le débat qui s'ouvre dans la presse sur *L'Otage* est moins politique que religieux. L'un des admirateurs de la pièce, Gaston de Pawlowski, se demande si les personnages de Claudel n'échappent pas au dogme catholique. Pour lui, le sacrifice de Sygne est la manifestation d'un «idéal supérieur au catholicisme». Claudel s'insurge, réplique, se justifie, appelle son texte à la rescousse. Le directeur de *Comœdia* lui répond. Et voilà qu'une grande enquête est lancée par *Paris-Journal* sur la portée du «catholicisme ou tout au moins du mysticisme» de Claudel. Celui-ci s'agace et écrit à son ami Francis Jammes : «La tactique des journaux à l'égard d'un auteur catholique, quand ils n'ont pu empêcher son succès, est naturellement de faire croire qu'il n'est pas catholique.»

Pour que les choses soient claires, Paul Claudel demande à s'expliquer dans *Le Figaro* qui, le 14 juillet, publie sur deux colonnes à la une un grand article de l'écrivain : «D'un théâtre catholique». Il s'évertue à démontrer que le catholicisme est la meilleure des sources de l'inspiration dramatique, parce que la foi introduit dans l'art un principe de contradiction, le ressort même du théâtre. Plus «marteau-pilon» que jamais, selon l'expression d'André Gide, Claudel déclare sans nuance : «L'art purement laïc qui existe depuis la Renaissance a eu son temps et l'on peut estimer qu'il a épuisé ses résultats.»

Cet article est un nouveau signe du retour en force du catholicisme au sein des lettrés français. Paul Claudel, rendu longtemps prudent par sa charge diplomatique, ne craint plus désormais d'afficher sa foi en termes quasi provocants. Il n'est plus seul, les convertis abondent: Charles Péguy, Ernest Psichari, Jacques Maritain, Jacques Rivière, Alain-Fournier, Max Jacob, Francis Jammes, Ferdinand Brunetière... La qualité de ces convertis prime sur leur quantité, ils donnent le ton à l'évolution des esprits.

Claudel a fui les fièvres parisiennes pour faire retraite au couvent des dominicains du Saulchoir en Belgique. De là, il retourne à ses fonctions de consul général à Hambourg, où il apprend que, le 28 juin, François-Ferdinand, l'archiduc héritier d'Autriche-Hongrie, a été assassiné à Sarajevo par un étudiant bosniaque.

DIMANCHE 2, LUNDI 3 AOÛT 1914

B. C. — 35ᵉ ANNÉE. — Nᵒ 9629. — DIM. 2, LUNDI 3 AOÛT 1914

LA CROIX

RÉDACTION 5 Centimes

5, Rue Bayard, PARIS VIIIᵉ — Adresse télégraphique : CROIBAYAR PARIS

ABONNEMENT GLOBAL. — Pour 25 fr. 600 par an, on reçoit la Croix, la Semaine Religieuse...

Adveniat regnum tuum

Dieu protège la France!

Lundi 3 août. — SAINTE LYDIE
Mardi 4. — SAINT DOMINIQUE

Paris le 1ᵉʳ août 1914

La journée

Les pourparlers continuent, mais les faits s'aggravent. L'on n'a pas encore de guerre « décidée » par des déclarations officielles, mais les préparatifs de la mobilisation générale en Russie, en Autriche-Hongrie, en Belgique et en Hollande.

On dit que l'Allemagne a adressé un ultimatum à la France et à la Russie en lui fait une demande équivoque.

À la frontière allemande, des provocations de toutes sortes nous sont adressées. Les soldes ne circulent plus. La France reste calme pour être forte l'expectative.

L'Angleterre ne sait encore si elle se sous-met aux exigences allemandes. Les forces russes se concentrent au Chablais.

La guerre
L'assassinat

À l'heure présente, sans que les actes décisifs soient accomplis quant à la France, il semble bien que tout est consommé et que la guerre est devenue inévitable...

[article text]

Mort tragique de M. Jaurès

M. Jaurès a été assassiné, hier soir, à la fin de son dîner dans un café parisien...

[biographie et récit de l'assassinat]

M. JAURÈS

La Guerre paraît imminente

La paix s'en va

Tous les jours, toutes les heures qui passent enlèvent à la pauvre paix quelque lambeau de sa chair. Elle se défigure et devient hideuse. Comme dans ces combats corps à corps où la peau et le sang emporte à pleines mains...

[texte de l'article]

Provocations allemandes
répétées à la frontière française

La crise ouverte par l'ultimatum dont la presse allemande entretient autour de la France...

Mobilisation générale en Russie

L'empereur Nicolas a décrété la mobilisation générale des forces russes de terre et de mer.

Guillaume II
appelle son peuple aux armes

Berlin, 1ᵉʳ août. — Vers 5 heures, hier soir, une foule de 50.000 personnes environ s'est assemblée devant le palais du kaiser...

Mobilisation générale
en Autriche-Hongrie

Le journal de Vienne et de Buda-pest publient ce qui suit :

Le KAISER
l'auteur de la guerre

M. SAZONOF
ministre des Affaires étrangères de Russie

Le prince héritier de Serbie

GAZETTE

Un instant d'oubli

Il y avait, paraît-il, à fêter un « peuplier » à la sourde et bien rare au...

Mariage maronite

[texte]

La noix gala

Un nouveau combat au Maroc

Oudjda, 31 juillet. — Une colonne de Taza qu'un extrait revenait de l'Oued Amelil, campé à Mahsana Tahanta, a été attaqué pendant la nuit du 29 juillet par des pillards qui ont été mis hors de combat par le feu de camp.

Deux morts, 23 blessés. En Angleterre, les suffragettes ne manquent.

1914
JUILLET-AOÛT

« ADIEU,
JAURÈS ! »

Une du journal *La Croix* du 2-3 août 1914
annonçant l'assassinat de Jean Jaurès ainsi que les déclarations de guerre
de l'Allemagne à la Russie et de l'Autriche-Hongrie à la Serbie.

Dans les semaines qui suivent l'attentat de Sarajevo, personne ne prend la mesure du danger de guerre qu'il annonçait. Les guerres balkaniques, vraie poudrière, s'étaient terminées l'année précédente sur le tapis vert. Jusqu'au 25 juillet, la presse en France ne pressent pas le conflit armé. La grande affaire qui emplit les colonnes des quotidiens, c'est d'abord la discussion puis le vote au Parlement de l'impôt sur le revenu. Les feuilles de droite s'indignent : « L'impôt sur le revenu, lit-on dans *L'Écho de Paris*, aura tôt fait de devenir un instrument de domination, de corruption et de haine ; le cadastre des fortunes risque d'être le prélude des confiscations futures. » *Le Figaro* surenchérit : « L'impôt sur le revenu est encore plus une croisade contre la bourgeoisie qu'une façon de se procurer de l'argent. Il est inspiré par une véritable haine de classes. » Puis, à partir du

20 juillet, c'est le procès de Mme Caillaux, qui a tué Calmette, le directeur du *Figaro*, à la une des journaux. Elle sera finalement acquittée, à l'indignation du journal de sa victime.

La question de la guerre et de l'impérialisme est posée et débattue au Congrès socialiste de la mi-juillet. La majorité du Congrès, suivant Jaurès et contre Guesde, vote, pour empêcher la guerre, «la grève ouvrière simultanément et internationalement organisée». Jean Jaurès, à l'avant-garde du combat pour la paix, précise sa position contre ses contempteurs de droite : «Il n'y a aucune contradiction à faire l'effort maximum pour assurer la paix et, si la guerre éclate malgré tout, à faire l'effort maximum pour assurer, dans l'horrible tourmente, l'indépendance et l'intégrité de la nation.» Il se hérisse sans les nommer contre ceux qui, tel Péguy, le considèrent comme un mauvais Français. Cependant, ces discussions, ces motions, ces polémiques restent sur un plan théorique : personne n'imagine la guerre imminente, sauf quelques-uns qui, comme Charles Péguy, s'y préparent depuis 1905 et l'appellent de leurs vœux.

Les autres écrivains n'y songent pas. Dans leurs journaux intimes comme dans leur correspondance, on ne relève pas de mots angoissés à l'approche d'un malheur fatal. À Cuverville, André Gide passe des heures au piano, note les virevoltes de son sansonnet avant de déplorer sa mise à mort par les chats, lit les derniers recensements malveillants des *Caves du Vatican*. Roger Martin du Gard est tout occupé par sa pièce, *Près des mourants*, à laquelle il travaille depuis le mois de mars ; il a envoyé son scénario à son ami Marcel de Coppet, et il s'inquiète du «peu d'enthousiasme de sa réponse». Paul Léautaud a surtout de gros soucis d'argent, il se demande comment il va pouvoir payer son terme. Il s'amuse de la déposition de Paul Bourget, qui vient de publier *Le Démon de midi*, au procès de Mme Caillaux. Léon Bloy, retiré avec les siens à la campagne, commence l'introduction de son livre sur Jeanne d'Arc, et se lamente de l'hostilité du voisinage : « Pour les gens de ce pays, nous sommes *ceux qui vont à la messe*. C'est comme si on disait : ceux qui ont fait faillite ou qui ont été au bagne. » Rien dans tous ces journaux intimes qui exprime la moindre inquiétude sur le sort de la paix en Europe.

Maurice Barrès serait-il plus attentif ? Le 10 juillet, il est devenu le successeur de Paul Déroulède à la présidence de la Ligue des patriotes : « Jamais plus qu'à cette heure, déclare-t-il, n'aura été utile l'existence de notre Ligue destinée à servir de ferment patriotique et à maintenir en France, avec les souvenirs de 1870, la fidélité à Metz et à Strasbourg. » Certes, mais l'imminence du danger de guerre n'est nullement évoquée.

Le ton change brusquement le 25 juillet. L'attentat de Sarajevo, dont les effets immédiats sont passés inaperçus, a provoqué en fait la mise en route du terrible engrenage qui va conduire à la guerre. Le gouvernement austro-hongrois a la volonté d'endiguer un mouvement nationalitaire yougoslave qui risque de faire exploser l'empire multinational. Le 23 juillet, à 18 heures, il lance un ultimatum à la Serbie qui équivaut à une soumission complète à l'Autriche-Hongrie. L'Allemagne soutient l'Autriche et l'encourage à la fermeté. La Serbie a 48 heures pour accepter cet ultimatum conçu en vue d'un refus qui serait un *casus belli*. La Serbie, à laquelle la Russie conseille la modération, accepte les termes de l'ultimatum à l'exception de l'article 6 prévoyant l'intervention d'inspecteurs austro-hongrois sur le territoire serbe. L'Autriche se refusant à tout prolongement des négociations, la Serbie décrète la mobilisation générale. La Grande-Bretagne qui propose une conférence internationale reçoit l'appui de la France et de l'Italie, mais l'Allemagne s'y refuse. Le 28, l'Empire austro-hongrois déclare la guerre à la Serbie. En France, on croit encore possible l'existence d'un conflit localisé, mais la Russie ne peut accepter de laisser la Serbie écrasée par l'Empire austro-hongrois. Le 29, à la suite du bombardement de Belgrade, La Russie décrète une mobilisation partielle. La France a promis et, lors d'un voyage tout récent en Russie, Poincaré a confirmé la solidarité française avec son allié russe – qui est la base de sa diplomatie. Face à l'intransigeance de Vienne, la Russie passe le 30 à la mobilisation générale. L'Allemagne réplique par un ultimatum adressé aux Russes et aux Français, et décide la mobilisation générale. Le 1er août, l'Allemagne déclare la guerre à la Russie. Le 2 août, elle somme le gouvernement belge de laisser le libre passage de ses armées à travers son territoire. Le 3, l'Allemagne déclare la guerre à la France. Le 4, face à la violation de la neutralité belge par les Allemands, l'Angleterre se range aux côtés de la France et de la Russie. La guerre européenne est ouverte.

Qui l'eût cru ? Toutes les crises internationales qui se sont succédé depuis un demi-siècle ont été résolues par des négociations, des accords diplomatiques, des compromis. Cette crise de juillet 1914 eût pu connaître la même conclusion pacifique. L'intransigeance de l'Autriche-Hongrie, soutenue par l'Allemagne convaincue de sa propre supériorité militaire, la volonté de la Russie de protéger son allié serbe, la résolution de la France de préserver son système d'alliances, et finalement la volonté de la Grande-Bretagne de contrecarrer l'hégémonie allemande sur le continent, tout a convergé vers la guerre, malgré les efforts diplomatiques. En une dizaine de jours, l'opinion est passée d'une relative quiétude à la brutale réalité du conflit armé. Les journaux qui se consacraient au procès de Mme Caillaux sont brusquement saisis par la montée et l'accélération du danger de guerre.

Le 27 juillet, socialistes et syndicalistes français manifestent contre la guerre, et six cents manifestants sont arrêtés au cours des bagarres avec la police. Le 29, Jaurès, qui en appelle au sang-froid, flétrit l'attitude de l'Allemagne impériale qui « ne pourra pas se défendre contre le juste reproche d'avoir encouragé l'Autriche sur ce mauvais chemin ». Mais le chef socialiste croit encore et toujours à la mobilisation des forces de la paix et à l'action de l'Internationale socialiste pour empêcher la guerre. Il se rend à Bruxelles, où se tient un meeting « monstre ». Le même jour, *L'Écho de Paris* publie, au moment du retour de Poincaré d'un voyage au Danemark qu'il a interrompu, un appel de Barrès à venir accueillir le président de la République : « On ne doit plus connaître de partis, mais seulement la France. Nos divisions politiques et sociales passent à l'arrière-plan. Nous ne sommes plus qu'une grande armée, grave et résolue, dont tous les hommes se massent coude à coude. »

Gide renonce à son projet de voyage en Angleterre. Hanté « du lever au coucher » par l'événement, il lit « avec le contentement le plus vif la lettre de Barrès, invitant au ralliement. Il y a malgré tout, note-t-il, quelque réconfort à voir, devant cette menace affreuse, les intérêts particuliers s'effacer, et les dissensions, les discordes ; en France l'émulation devient vite une sorte de furie qui pousse chaque citoyen à l'abnégation héroïque ». Il s'impatiente, écrivant, le 1er août : « Journée d'attente angoissée. Pourquoi ne mobilise-t-on pas ? Tout le temps qu'on diffère est autant de gagné pour l'Allemagne. Sans doute est-ce un égard dû au parti socialiste, que de se laisser attaquer. » En fait, la mobilisation générale est décrété le jour même en France.

Apocalyptique, Léon Bloy s'exclame : « Les cataclysmes annoncés sont-ils proches enfin ? » Le 31 : « L'ordre de mobilisation générale est donné. On tambourine cela dans les villages, en informant les cultivateurs qu'ils aient à se préparer à la réquisition de leurs chevaux et de leurs voitures. En outre, il y a l'émission, comme en 71, des billets de 5 et 20 francs, le gouvernement voulant rafler tout le numéraire. Panique certaine. »

Ce même 31 juillet, Gabriel Hanotaux se manifeste en instituteur national : « La France se sent fortement unie dans la main de ses chefs, loyalement attachée à ses amis et à ses alliés. Elle veut la paix ; mais si on lui force la main, si on lui impose la guerre, elle l'acceptera avec résolution, avec sangfroid, avec ténacité, avec courage. Elle sait que, malgré les allégations exagérées par la polémique parlementaire, elle est prête. La loi des trois ans a rempli nos cadres ; notre armement et nos approvisionnements, à la veille d'une belle récolte, nous assurent toutes les forces et toutes les ressources nécessaires : officiers et soldats fraternisent dans un sentiment unanime de dévouement à la patrie ; je sais qu'au ministère de la Guerre on est confiant et on attend... La France est donc résolue à soutenir, avec ses alliés et amis, une cause qu'elle a servie si souvent au cours des siècles, celle de la liberté du monde. Puisqu'elle est aussi décidée et prête à se battre, s'il le faut, n'est-ce pas une situation excellente pour défendre passionnément et jusqu'à la dernière minute, la paix ? »

C'est bien l'avis de Jaurès, qui ne se résigne pas à l'issue fatale. Pourtant, en rentrant le 30 juillet de Bruxelles, où le Bureau socialiste international s'était encore réuni, il apparaît à son ami Jean Longuet triste et fatigué. À son arrivée à Paris, il s'est précipité à la Chambre, après une courte halte à *L'Humanité*. Il a rencontré le président du Conseil Viviani, qui ne lui a rien dit de la résolution très ferme de soutien à la Russie que lui et Poincaré ont assuré à Saint-Pétersbourg lors de leur récent voyage. Revenu à son journal en fin de soirée, il rédige son éditorial: «Sang-froid nécessaire». «C'est à l'intelligence du peuple, écrit-il, c'est à sa pensée que nous devons aujourd'hui faire appel si nous voulons qu'il puisse rester maître de soi, refouler les paniques, dominer les énervements et surveiller la marche des hommes et des choses, pour écarter l'horreur de la guerre.» Le lendemain 31 juillet, le chef socialiste passe la plus grande partie de la journée au Palais-Bourbon, où il dénonce, dans les couloirs, la politique étrangère tsariste. Avant de rédiger son éditorial accusateur, Jaurès et ses camarades du journal vont dîner au café du Croissant, où ils sont installés près de la fenêtre donnant sur la rue. C'est de cette fenêtre qu'un jeune nationaliste, Raoul Villain, vise Jaurès de son revolver et le tue.

L'émotion est profonde dans le pays. Le lendemain matin, Maurice Barrès se rend dans la maison de Jaurès à Passy, pour donner une lettre à sa fille. Léon Blum, dans l'entrée, lui dit qu'il peut la lui remettre lui-même. La jeune femme le reçoit; il lui dit qu'il aimait son père; elle lui permet de monter voir sa dépouille. «Nous nous taisons un moment en regardant Jaurès. Je serre les mains des deux députés, de Blum. Je m'incline devant Jaurès et je redescends l'escalier. En bas, la fille de Jaurès, ma lettre ouverte à la main, des pleurs dans les yeux, me remercie avec une grande noblesse naturelle, une émouvante simplicité et retenue. Dans le jardinet, je serre la main des deux militants. Sur le trottoir, devant la cité qu'ils gardent, les quatre agents me saluent. Quelle solitude autour de celui dont je sais bien qu'il était, car les défauts n'empêchent rien, un noble homme, ma foi oui, un grand homme : adieu Jaurès, que j'aurais voulu pouvoir librement aimer ! »

Cette lettre à Mlle Jaurès, *L'Écho de Paris* la publie le 2 août : « J'aimais votre père », écrivait Barrès. Un aveu scandaleux aux yeux de multiples nationalistes, qui protestent. « Il y a des êtres mesquins, écrit Barrès dans ses *Cahiers* jusqu'à me reprocher d'avoir salué Jaurès mort. Je le saluai, je saluai ses amis, j'aurais salué ses Chimères mêmes pour qu'elles ne nous fermassent pas l'accès de citoyens indispensables à la patrie et que nous fussions tous la puissante armée française. De telles heures sont l'épreuve du patriotisme, et le meilleur patriote est celui qui aime mieux l'union qu'il ne s'aime. »

Mobilisé, Roger Martin du Gard constate qu'il s'identifie mal à la « grande cause ». Mais il note que les autres appelés autour de lui ont « un moral excellent », blaguent, sont « contents d'avoir quitté les attendrissements ». Léautaud, lui, qui n'est pas mobilisable veut échapper à la ferveur commune. Il se moque de Remy de Gourmont qui avait écrit jadis *Le Joujou patriotisme*, « l'homme sans parti, le contradicteur perpétuel » et qui célèbre aujourd'hui, dans *La France*, la solidarité. « La Solidarité ! Il oublie la contrainte, la force, la "potence" en cas de refus. » Au moment où *Le Joujou patriotisme* « prend toute sa valeur, est plus que jamais d'actualité, il le renie, il cède, il croit, il rentre dans le troupeau ».

Le 4 août, aux funérailles de Jaurès, Léon Jouhaux, le

secrétaire général de la CGT, a tourné la page : « La classe ouvrière, le cœur meurtri, se soulève d'horreur devant le lâche attentat qui frappe le pays. Elle se souvient, cette classe ouvrière qui s'est toujours nourrie des traditions des soldats de l'an II allant porter au monde la liberté, que ce n'est pas la haine d'un peuple qui doit armer son bras, que son courroux, elle ne doit pas le diriger contre la nation victime de ses despotes et de ses mauvais bergers. Empereurs d'Allemagne et d'Autriche-Hongrie, hobereaux de Prusse et grands seigneurs autrichiens qui, par haine de la démocratie, avez voulu la guerre, nous prenons l'engagement de sonner le glas de votre règne. Nous serons les soldats de la liberté, pour créer l'harmonie entre les peuples par la libre entente entre les nations. »

Quelques heures plus tard, Viviani donne lecture à la Chambre des députés du message du président de la République : « Dans la guerre qui s'engage, la France aura pour elle le droit, dont les peuples non plus que les individus ne sauraient impunément reconnaître l'éternelle puissance morale. Elle sera héroïquement défendue par tous ses fils dont rien ne brisera devant l'ennemi l'union sacrée et qui sont aujourd'hui assemblés en une même indignation contre l'agresseur et dans une même foi patriotique. »

Les derniers feux de la Belle Époque se sont éteints.

ÉPILOGUE

Que sont-ils devenus ?

Alain-Fournier

Mort pour la France à Vaux-les-Palameix, aux Éparges, près de Verdun, le 22 septembre 1914. Inhumé au cimetière militaire de Saint-Rémy-la-Calonne (Meuse). En 1924, était publié un recueil posthume de poèmes, *Miracles*. En 1966, *Le Grand Meaulnes* a été porté à l'écran par le réalisateur Gabriel Albicocco ; Brigitte Fossey interprétait le rôle d'Yvonne de Galais.

Guillaume Apollinaire

Engagé volontaire, devenu sous-lieutenant en novembre 1915, il est naturalisé français en mars 1916, peu avant d'être blessé à la tête par un éclat d'obus. Réformé, revient à Paris en 1917, où il fait jouer sa pièce *Les Mamelles de Tirésias*. Se marie le 2 mars 1918 avec Jacqueline Kolb («la jolie rousse» de *Calligrammes*), mais il tombe victime en novembre 1918 de la grippe espagnole.

Maurice Barrès

Infatigable chroniqueur de *L'Écho de Paris* pendant la Grande Guerre, il se démarque définitivement de son nationalisme antidreyfusard en publiant en 1917 *Les Diverses Familles spirituelles de la France* dans l'esprit de l'Union sacrée. Objet d'une parodie de procès par les surréalistes après la guerre, il échappe au conformisme par son roman *Jardin sur l'Oronte,* en 1922, mal reçu par la critique catholique. Il meurt brusquement en 1923, à 62 ans.

Léon Bloy

Celui qu'on a surnommé «l'Aboyeur de Dieu», gravement malade depuis 1915, meurt en 1917 à Bourg-la-Reine entouré des siens – sa femme, Jacques et Raïssa Maritain, Georges Auric et Henry de Groux. Dernières œuvres : *Jeanne d'Arc* (1915), *L'Allemagne* (1915) et *Méditations d'un solitaire* (1916). Le dernier tome de son Journal posthume portera le titre *La Porte des humbles* et sera publié par sa femme en 1920.

Paul Claudel

Expulsé de Hambourg à la déclaration de guerre, il rentre en France avec sa famille et, en septembre, suit le gouvernement replié à Bordeaux. Occupe divers postes officiels pendant la guerre, à Rome puis au Brésil, où il devient ministre plénipotentiaire de 2e classe de 1917 à 1919. Sa carrière diplomatique se poursuit après la guerre au Danemark, au Japon, aux États-Unis, où il est ambassadeur de France de 1927 à 1933. Il est mis à la retraite en 1935, à l'âge de 37 ans. Pendant toutes ces années et jusqu'à sa mort, en 1955, il s'affirme comme un des grands dramaturges et un des grands poètes français de son siècle.

Jacques Copeau

Versé dans le service auxiliaire aux Invalides en 1914, Jacques Copeau doit fermer le Vieux-Colombier. Démobilisé en 1915, il met en scène trois pièces à Genève en 1916. L'année suivante, Clemenceau le charge d'une «mission culturelle» à New York, où il monte plusieurs pièces pendant deux saisons au théâtre Garric. Il peut enfin rouvrir le Vieux-Colombier en octobre 1920, qu'il doit fermer pour raisons financières en 1924. Retrouve son théâtre en 1931, et continue sa carrière d'animateur théâtral jusqu'à sa mort le 20 octobre 1949.

Louis Feuillade

Feuillade a continué sa carrière cinématographique jusqu'en 1925, l'année de sa mort. Parmi ses grands succès, s'imposent les douze épisodes des *Vampires* en 1915, les douze épisodes de *Judex* en 1916, *Vendémiaire* en 1918, *L'Homme sans visage* en 1919, les douze épisodes de *L'Orpheline* en 1921. «Comme des milliers de personnes, écrira Alain Resnais, je dois ma découverte de Feuillade à Henri Langlois, qui n'en sera jamais assez remercié. Je connaissais son nom bien sûr, mais, sans les projections de 1944 à la Cinémathèque, je n'aurais pas pris conscience de sa grandeur. Cette découverte m'a bouleversé, car elle m'a appris que les films dont j'avais longtemps rêvé existaient vraiment.» (Cité par Francis Lacassin, *Louis Feuillade. Maître du cinéma populaire*, p. 152.)

Roland Garros

Affecté en août 1914 à l'escadrille MS 26, il met au point un système de tir à la mitrailleuse légère à travers les pales de l'hélice sur un monoplan Morane. Le 18 avril 1915, son avion est abattu près de Courtrai; il est fait prisonnier, s'évade et reprend le combat à bord de l'escadrille des Cigognes. Il meurt dans un accident le 5 octobre 1918 au-dessus des Ardennes. Le stade de tennis de la porte d'Auteuil à Paris porte son nom depuis sa création en 1928.

André Gide

Il se consacre de 1914 à 1918 au foyer franco-belge des réfugiés. Ses œuvres suivent après la guerre : *La Symphonie pastorale, Corydon, Les Faux-Monnayeurs, Voyage au Congo…*, autant d'œuvres qui en font l'un des deux ou trois grands écrivains français de l'entre-deux-guerres. Séduit par le communisme au début des années trente, il en dénonce les réalités en 1936 dans son *Retour de l'URSS* et *Retouches à mon Retour de l'URSS*, qui font scandale dans la gauche au moment du Front populaire. Réfugié en zone Sud puis en Tunisie pendant l'Occupation, il est l'objet de la vindicte pétainiste et collaborationniste. Prix Nobel de littérature en 1947, il meurt à 81 ans en février 1951.

Robert de Jouvenel

L'hebdomadaire satirique *L'Œuvre* dont il est le secrétaire général devient quotidien en 1915. Après *La République des camarades*, il obtiendra un autre succès, en 1920, avec *Le Journalisme en vingt leçons*, où il illustre cette conclusion : « Le métier de journaliste – qui est peut-être le plus dénigré de tous – demeure le plus beau à mes yeux. » Il meurt en 1924.

Daniel-Henry Kahnweiler

Lorsque la guerre éclate au mois d'août 1914, Kahnweiler se trouve en Italie. Il refuse alors sa mobilisation dans l'armée allemande. Accusé de désertion, il s'installe à Berne avec sa compagne, tandis qu'à Paris sa galerie est mise sous séquestre en tant que biens appartenant à l'ennemi. La guerre terminée, il s'associe avec André Simon et le 1er septembre 1920 ouvre, 29 bis, rue d'Astorg dans le VIIIe arrondissement, la galerie Simon.

Kahnweiler se fait aussi éditeur, publiant André Malraux illustré par Fernand Léger, Raymond Radiguet illustré par Henri Laurens, Michel Leiris, Robert Desnos et Georges Bataille illustré par André Masson et bien d'autres.

En 1937, Kahnweiler est naturalisé français. Réfugié à Saint-Léonard-de-Noblat jusqu'en 1943, il écrit son *Juan Gris*. Dénaturalisé par Vichy, quand il revient à Paris en 1943, Kahnweiler se cache chez son gendre Michel Leiris. Il meurt en 1979.

Maurice Leblanc

Jusqu'à sa mort en 1941, Maurice Leblanc publie de nombreux romans policiers, avec ou sans Arsène Lupin. Le dernier de ses ouvrages, posthume, paru l'année de sa mort, s'intitule *Les Milliards d'Arsène Lupin*.

Gaston Leroux

De 1913 à 1925, le père de Rouletabille se lance dans *Les Aventures de Chéri-Bibi*, une série de nouvelles qui, réunies, feront cinq volumes. Producteur de cinéma pendant quelques années, il fait filmer en 1922 *Rouletabille chez les bohémiens* en dix épisodes. Il est mort à 58 ans, à Nice, en avril 1927.

Roger Martin du Gard

Mobilisé avec le grade de sergent en août 1914, il sera démobilisé en février 1919. Il s'attelle alors à son œuvre monumentale retraçant l'histoire de deux familles, qui s'intitulera *Les Thibault*, et dont la publication s'échelonne de 1922 à 1940. Il reçoit le prix Nobel de littérature en 1937. Il meurt le 23 août 1958, laissant inédit un Journal de la plus grande importance sur la vie littéraire et politique, mais aussi sur sa vie privée, dont les trois tomes seront publiés en 1992-1993.

Charles Péguy

Lieutenant de réserve, incorporé au 276e régiment d'infanterie, il est tué à la veille de la bataille de la Marne, le 5 septembre 1914, à Villeroy près de Paris. Il avait 41 ans. Ses *Œuvres complètes* ont été publiées dans «La Pléiade», entre 1957 (*Œuvres poétiques*) et 1992 (*Œuvres en prose*, 3 vol.).

Marcel Proust

Malade, passe la plus grande partie de la guerre enfermé dans sa chambre capitonnée de liège. En 1919, Gallimard récupère son œuvre, d'abord refusée et publiée par Grasset, et publie *À l'ombre des jeunes filles en fleurs*, qui lui vaut le prix Goncourt. Il meurt le 18 novembre 1922, à l'âge de 51 ans. La plus grande partie de *À la recherche du temps perdu* reste à publier ; le dernier volume, *Le Temps retrouvé* paraîtra en 1927. D'autres ouvrages posthumes révéleront l'étendue de son génie : *Jean Santeuil* (1952), *Contre Sainte-Beuve* (1954), ainsi que sa volumineuse *Correspondance*.

Ernest Psichari

Dès le 22 août 1914, il est tué au combat près de la frontière belge. Parmi ses ouvrages posthumes, *Le Voyage du centurion*, rédigé en 1913, narre l'histoire de sa conversion au catholicisme.

Igor Stravinsky

Réfugié en Suisse pendant la Première Guerre mondiale, il s'installe en France entre 1919 et 1939, où il obtient la nationalité française en 1934. Avec Diaghilev, il crée un nouveau ballet, *Pulcinella*, avec des décors de Picasso, en 1920. Il rencontre une mécène en la personne de Coco Chanel, qui finance la reprise du *Sacre* au théâtre des Champs-Élysées. Il quitte la France en septembre 1939 pour les États-Unis, où il obtient la citoyenneté américaine. Il meurt à New York le 6 avril 1971.

Quelques dates

1913

10 JANVIER *Alsace !*, la pièce de Gaston Leroux jouée par Réjane exalte le caractère français de l'Alsace perdue.

17 JANVIER Raymond Poincaré est élu président de la République contre Jules Pams, le candidat des gauches.

21 JANVIER Aristide Briand président du Conseil.

16 FÉVRIER Publication de *L'Argent* de Charles Péguy.

25 FÉVRIER Manifeste de la CGT contre le projet de loi des trois ans (de service militaire).

FÉVRIER-AVRIL Dans *Les Cahiers de la Quinzaine*, Péguy fustige le pacifisme de Jaurès et les intellectuels du «parti allemand».

18 MARS Clemenceau et le Sénat repoussent le

projet de loi électorale favorable à la proportionnelle. Démission de Briand.

22 MARS Constitution du ministère Barthou.

31 MARS Inauguration du théâtre des Champs-Élysées à Paris construit par Auguste Perret.

20 AVRIL Publication du recueil de poésies *Alcools* d'Apollinaire. Lancement du magazine scientifique *Science et Vie*.

5 MAI Le ballet *Jeux* de Debussy est créé au théâtre des Champs-Élysées.
Sortie de *L'Homme libre*, nouveau quotidien de Georges Clemenceau.

MAI Maurice Barrès, figure majeure du nationalisme républicain, publie *La Colline inspirée*. Louis Feuillade lance la série des Fantômas.
Protestation et agitation contre la loi des trois ans dans plusieurs garnisons.

25 MAI Puissante manifestation contre la guerre et le projet de loi des trois ans au Pré-Saint-Gervais.

29 MAI Première du *Sacre du printemps* de Stravinsky, chorégraphié par Nijinsky, fait scandale à Paris.

5 JUIN Attribution par l'Académie française de son grand prix de littérature à Romain Rolland pour *Jean-Christophe*.

JUIN *L'Appel des armes* d'Ernest Psichari.

23 JUIN-10 AOÛT Seconde guerre balkanique.

1er JUILLET Mort d'Henri Rochefort.

AOÛT Le marchand d'art Kahnweiler, qui a fait connaître les peintres qu'on nomme

	désormais «cubistes», signe un contrat d'exclusivité de trois ans avec Fernand Léger.
5 AOÛT	Après la Chambre, le Sénat vote à son tour la loi des trois ans.
23 SEPTEMBRE	L'aviateur Roland Garros traverse sans escale la Méditerranée.
23 OCTOBRE	Ouverture du théâtre du Vieux-Colombier à Paris par Jacques Copeau.
NOVEMBRE	Incidents de Saverne entre Allemands et Alsaciens.
16 NOVEMBRE	Marcel Proust publie à compte d'auteur *Du côté de chez Swann* aux éditions Grasset.
DÉCEMBRE	Constitution du ministère Doumergue. *Le Grand Meaulnes* d'Alain-Fournier et *Jean Barois* de Martin du Gard paraissent à *La NRF*.
4 DÉCEMBRE	Prix Goncourt à Marc Elder pour *Le Peuple de la mer*.
9 DÉCEMBRE	Gaston Doumergue, nouveau président du Conseil.
26 DÉCEMBRE	Fondation de la Fédération des gauches par Aristide Briand, avec Louis Barthou et Alexandre Millerand.

1914

4 JANVIER	Représentation de *Parsifal* à l'Opéra de Paris.
9 JANVIER	Condamnation du tango par l'archevêque de Paris, le cardinal Amette.
22 JANVIER	*L'Échange* de Claudel est jouée au Vieux-Colombier.

12 FÉVRIER	Henri Bergson élu à l'Académie française.
16 MARS	Calmette, le directeur du *Figaro*, est assassiné par Mme Caillaux.
AVRIL	*Les Caves du Vatican* de Gide.
10 MAI	Second tour des élections législatives. Poussée à gauche, les socialistes obtiennent 102 sièges (72 sortants).
7 JUIN	À 15 ans, Suzanne Lenglen remporte le championnat du monde de tennis sur terre battue à Paris.
9 JUIN	Ministère Ribot.
13 JUIN	Ministère Viviani.
28 JUIN	Attentat de Sarajevo.
7 JUILLET	Vote de l'impôt sur le revenu par le Sénat qui l'avait jusqu'alors repoussé.
15 JUILLET	Départ de Poincaré et de Viviani pour la Russie.
23 JUILLET	Ultimatum autrichien à la Serbie.
28 JUILLET	L'Autriche-Hongrie déclare la guerre à la Serbie. Henriette Caillaux est acquittée.
31 JUILLET	Ultimatum allemand à la Russie et à la France. Assassinat de Jaurès.
1er AOÛT	L'Allemagne déclare la guerre à la Russie. Mobilisation générale en France.
3 AOÛT	L'Allemagne déclare la guerre à la France.

Lectures

ALAIN-FOURNIER, *Le Grand Meaulnes*, suivi de *Alain-Fournier* par Jacques Rivière, Folio, 2009.

APOLLINAIRE, Guillaume, *Œuvres en prose complètes*, t. II, Gallimard, «La Pléiade», 1991.

«Arsène Lupin», numéro spécial de la revue *Europe*, août-septembre 1979.

ARTIAGA, Loïc, LETOURNEUX, Mathieu, *Fantômas! Biographie d'un criminel imaginaire*, Les Prairies ordinaires, 2013.

ASSOULINE, Pierre, *L'Homme de l'art. D.-H. Kahnweiler 1884-1979*, Folio/Gallimard, 1988.

BARRÈS, Maurice, *Mes cahiers 1896-1923*, textes choisis par Guy Dupré, Plon, 1963.

–, *Romans et Voyages*, Robert Laffont, «Bouquins», 1994.

BLOY, Léon, *Au seuil de l'Apocalypse 1913-1915*, Mercure de France, 1963.

–, *Exégèse des lieux communs*, Mercure de France, 1968.

CLAUDEL, Paul, *Théâtre*, 2 vol., Gallimard, « La Pléiade », 1956.

BRION-GUERRY, Liliane (dir.), *L'Année 1913. Les formes esthétiques de l'œuvre d'art à la veille de la première guerre mondiale*, 3 vol., Klincksieck, 1971.

CABANNE, Pierre, *Le Siècle de Picasso*, 4 vol., Folio Essais, 1992.

CAHM, Éric, *Péguy et le Nationalisme français*, Cahiers de l'Amitié Charles Péguy, 1972.

CAMPA, Laurence, *Guillaume Apollinaire*, Gallimard, 2013.

DEROUARD, Jacques, *Maurice Leblanc, Arsène Lupin malgré lui*, Séguier, 2001.

DIGEON, Claude, *La Crise allemande de la pensée française (1870-1914)*, PUF, 1959.

FLEURY, Georges, *Roland Garros*, Bourin, 2009.

GARCIA, Henri, *La Fabuleuse Histoire du rugby*, ODIL, 1973.

GIDE, André, *Journal 1887-1925*, Gallimard, « La Pléiade », 1996.

–, *Romans et Récits*, Gallimard, « La Pléiade », 2009.

GUERS, Marie-Josèphe, *Paul Claudel*, Actes Sud, 1987.

Jean Jaurès et la Nation, Actes du Colloque de Toulouse, Association de la Faculté des lettres et sciences humaines de Toulouse, 1965.

JEANNENEY, Jean-Noël, « L'affaire Rochette (1908-1914) », *L'Histoire*, n° 19, janvier 1980.

JOLY, Bernard, *Déroulède*, Perrin, 1998.

KOPP, Robert, *Un siècle de Goncourt*, Gallimard, « Découvertes », 2012.

KURTZ, Maurice, *Biographie d'un théâtre*, Nagel, 1950.

LACASSIN, Francis, *Louis Feuillade*, Seghers, « Cinéma d'aujourd'hui », 1964.

LACOUTURE, Jean, « Rugby : du combat celte au jeu occitan », *L'Histoire*, n° 8, janvier 1979.

LÉAUTAUD, Paul, *Journal littéraire*, t. 1, *1893-1928*, Mercure de France, 1993.

–, *Le Théâtre de Maurice Boissard*, 2 vol., Gallimard, 1926.

LEBLANC, Maurice, *Les Aventures d'Arsène Lupin*, 3 t. réunis en coffret, Omnibus, 2012.

LEROY, Géraldi, *Batailles d'écrivains. Littérature et politique, 1870-1914*, Armand Colin, 2003.

LEROY, Géraldi, BERTRAND-SABIANI, Julie, *La Vie littéraire à la Belle Époque*, PUF, «Perspectives littéraires», 1998.

MARNAT, Marcel, *Stravinsky*, Seuil, «Solfèges», 1995.

MARTIN DU GARD, Roger, *Œuvres complètes*, Gallimard, «La Pléiade», 1955.

–, *Journal*, t.1, *1892-1919*, Gallimard, 1992.

MICHELS, Roberto, *Les Partis politiques*, Flammarion, «Science», 1971.

NEAU-DUFOUR, Frédérique, *Ernest Psichari, l'ordre et l'errance*, Cerf, 2001.

PÉGUY, Charles, *Œuvres en prose complètes*, t. III, Gallimard, «La Pléiade», 1992.

RABAUT, Jean, *Jaurès assassiné*, Complexe, 1984.

RIVIÈRE Isabelle, *Vie et Passion d'Alain-Fournier*, Fayard, 1989.

RIVIÈRE, Jacques – ALAIN-FOURNIER, *Correspondance*, 2 t., Gallimard, 1991.

SEMBAT, Marcel, *Faites un roi sinon faites la paix*, Eugène Figuière et Cie, 1913.

SERGENT, Alain, *Un anarchiste de la Belle Époque, Alexandre Jacob*, Seuil, 1950.

SOUVESTRE, Pierre, et ALLAIN, Marcel, *Fantômas*, édit. intégrale, Robert Laffont, «Bouquins», 2013.

TADIÉ, Jean-Yves, *Marcel Proust,* Gallimard, 1996.

TÉTART, Philippe (dir.), *Histoire du sport en France*, 2 vol.,
    Vuibert, 2007.

WINOCK, Michel, *La Belle Époque*, Perrin, «Tempus», n° 44,
    2009.

Index des noms

Ader, Clément, 78.

Agathon, *voir* Alfred de Tarde et Henri Massis.

Alain-Fournier, *voir* Henri-Alban Fournier.

Albicocco, Gabriel, 175.

Allain, Marcel, 132-136.

Andler, Charles, 33.

André, Géo, 115.

Annunzio, Gabriele, d', 48.

Antoine, André, 90.

Apollinaire, Albert, 39.

Apollinaire, Guillaume, 10, 37, 39-40, 42, 73, 75, 136, 175, 184, 187-188.

Auric, Georges, 176.

Bague, Édouard, 82.

Barois, Théophile, 58-59.

Barrès, Maurice, 21-22, 24-25, 56, 59, 123-124, 127, 168, 170, 172-173, 176, 184.

Barthou, Louis, 31, 78, 127, 184-185.

Bataille, Georges, 179-180.

Baudelaire, Charles, 22.

Beethoven, Ludwig van, 145.

Benda, Julien, 107-108.

Benda Pauline, dite «Simone», 107.

Bergson, Henri, 55, 186.

Bernhardt, Sarah, 16.

Bernstein, Henry, 39, 93.

Berteaux, Maurice, 81.

Blaschke, Philipp von, 81.

Blériot, Louis, 81.

Bloy, Jeanne, 101.

Bloy, Léon, 95-101, 168, 171, 176.

Blum, Léon, 89, 162, 172.

Boex, Joseph Henri Honoré, dit «Rosny», 110.

Boissard, Maurice, *voir* Paul Léautaud.

Bonnot, Jules, 97, 134.
Boulanger, Georges, 123.
Bourget, Paul, 99, 168.
Braque, Georges, 39-40, 70, 74-75.
Bréval, Lucienne, 93.
Briand, Aristide, 31, 127, 183-185.
Brunetière, Ferdinand, 163.

Caillaux, Henriette, 148, 167-168, 170, 186.
Caillaux, Joseph, 148.
Calmette, Gaston, 148, 167, 186.
Camille, Lucien, 16, 19.
Casimir-Périer, Claude, 29, 107.
Castellane, Boniface de, 93.
Cézanne, Paul, 72.
Chagall, Marc, 71.
Chanel, Gabrielle, dite « Coco Chanel », 181.
Chirico, Giorgio de, 71.
Chtchoukine, Sergueï, 72.
Claudel, Paul, 143-145, 157-160, 162-163, 176, 185.
Clemenceau, Georges, 19,55, 123, 177, 183.
Cocteau, Jean, 47.
Combes, Émile, 31.
Copeau, Jacques, 87-92, 107, 159, 177, 185.
Coppet, Marcel de, 167.
Croué, Jean, 90.

Dante Alighieri, 22.
Darien, Georges, 65.
Daudet, Léon, 104, 127.
Debussy, Claude, 39, 47, 49, 184.
Derain, André, 40, 70, 73.
Déroulède, Paul, 122-128, 168.

Descaves, Lucien, 104-105, 108.
Desgrange, Henri, 63, 78.
Desmarets, Bob, 117.
Desnos, Robert, 179.
Diaghilev, Serge de, 45, 47-48, 181.
Dion, Jules-Albert de, 116.
Dostoïevski, Fiodor, 90, 141.
Doyle, Conan, 62, 66.
Dreyfus, Alfred, 17, 22, 31, 54, 57, 97, 123.
Drumont, Édouard, 97.
Duhamel, Georges, 42, 93.
Dullin, Charles, 87, 91, 93.
Dupont, André, 144.
Durand-Ruel, Paul, 71.

Elder, Marc, 104-105, 185.

Fargue, Léon-Paul, 93.
Farman, Henry, 79-80.
Faure, Félix, 124.
Fauré, Gabriel, 47.
Fayard, Arthème, 134.
Feuillade, Louis, 132, 135-137, 177, 184.
Flaubert, Gustave, 62, 96.
Flers, Robert de, 161.
Fokine, Michel, 47.
Fort, Paul, 93.
Fossey, Brigitte, 175.
Fournier, Henri-Alban dit « Alain-Fournier », 103, 105-107, 109-110, 163, 175, 185.
France, Anatole, 54.
François-Ferdinand d'Autriche, 163.

Galais, Yvonne de, 107-109, 175.
Gallimard, Gaston, 58, 107, 110, 159, 180.

Garros, Roland, 77-84, 177, 185.
Gautier, Judith, 104.
Gautier, Théophile, 22.
Gide, André, 58, 89-90, 93, 110, 139-145, 162, 167, 170, 178, 186.
Giffard, Pierre, 116, 118.
Giraudoux, Jean, 9.
Gleizes, Albert, 75.
Gohier, Urbain, 41.
Goncourt, Edmond de, 105.
Goncourt, Jules de, 105.
González-Pérez, José Victoriano Carmelo Carlos, dit «Juan Gris», 69-71, 74-75, 179.
Gourmont, Remy de, 145, 173.
Grasset, Bernard, 57-58, 110.
Grévy, Jules, 101.
Gris, Juan, voir José Victoriano Carmelo Carlos González-Pérez.
Groux, Henry de, 176.
Guérin, Jules, 98.
Guesde, Jules, 167.
Guillaume II d'Allemagne, 66, 125.

Habert, Marcel, 127.
Hanotaux, Gabriel, 171.
Hélie, Marie-Hamélie, 134.
Hennique, Léon, 104.
Herr, Lucien, 32.
Hervé, Gustave, 125-126.
Heywood, Thomas, 88, 93.
Hölterhoff, Élinor, vicomtesse de Milhau, 40.
Homère, 22.
Huysmans, Joris-Karl, 100.

Jacob, Alexandre, 63-65.

Jacob, Max, 69, 73, 163.
Jammes, Francis, 144-145, 162-163.
Jaurès, Jean, 23, 26, 31-34, 46, 55, 125, 128, 154, 165-174, 183, 186.
Jeanne d'Arc, 127.
Jouhaux, Léon, 173.
Jouvenel, Henry de, 149.
Jouvenel, Robert de, 148-149, 151-154, 178.
Jouvet, Louis, 87, 91, 93.

Kahnweiler, Daniel-Henry, 69-75, 178-179, 184.
Kipling, Moïse, 71.
Kolb, Jacqueline, 175.
Kostrowitzky, Angelica, 39.
Kupka, François, 71.

Lacassin, Francis, 177.
Lacoste, Robert, 115.
Lafitte, Pierre, 61-62, 64.
Lalo, Pierre, 50.
Langlois, Henri, 32, 177.
Lanson, Gustave, 25, 32, 57, 110.
Larbaud, Valery, 104.
Latham, Hubert, 80.
Laurencin, Marie, 40-41.
Laurens, Henri, 179.
Lavisse, Ernest, 32.
Léautaud, Paul, 18, 93, 145, 159, 167, 173.
Leblanc, Maurice, 61-65, 179.
Legagneux, Georges, 82.
Léger, Fernand, 70, 179, 185.
Leiris, Michel, 179.
Lepelletier, Edmond, 98.
Leroux, Gaston, 16, 18-19, 63, 179, 183.

Lièvre, Pierre, 42.
Lombroso, Cesare, 134.
Lugné, Aurélien-Marie, dit «Lugné-Poë», 89-90, 157, 159, 161, 193.
Lugné-Poë, *voir* Aurélien-Marie Lugné.

Maitron-Jodogne, Michèle, 109.
Mallarmé, Stéphane, 48.
Malraux, André, 179.
Manolo, Hugué, 70.
Marcoussis, Louis, 71.
Margaritis, Pierre, 59.
Marinetti, Filippo Tommaso, 42, 71.
Maritain, Jacques, 163.
Maritain, Raïssa, 99, 176.
Marriott, Fred, 79.
Martin du Gard, Roger, 57-59, 91-93, 167, 173, 179, 185.
Martineau, René, 101.
Massis, Henri, 34, 57-58.
Masson, André, 179.
Matisse, Henri, 40, 72-74.
Mauclair, Camille, 74.
Maupassant, Guy de, 62.
Maurras, Charles, 22, 56, 59, 127.
Mauss, Marcel, 55.
Metzinger, Jean, 75.
Michels, Roberto, 153-154.
Millerand, Alexandre, 34, 127, 185.
Mirbeau, Octave, 104.
Mistral, Frédéric, 22.
Modigliani, Amedeo, 71.
Molière, Jean-Baptiste Poquelin dit, 88.
Mondrian, Piet, 71.

Monis, Ernest, 81, 148.
Monteux, Pierre, 48-49.
Morand, Paul, 47.
Morane, Léon, 80.
Morane, Robert, 80.
Morozov, Ivan, 72.
Mugnier, Arthur, 100.

Navarre, René, 135.
Nijinsky, Vaslav, 47-48.
Noailles, Anna de, 93.

Pams, Jules, 19, 183.
Pascal, Blaise, 145.
Pawlowski, Gaston de, 161-162.
Péguy, Charles, 29-34, 55-56, 107-109, 163, 167, 180, 183.
Perier, Casimir, 29, 107, 109.
Perreyon, Edmond, 82.
Picasso, Pablo, 39-40, 71-75, 181.
Pieret, Géry, 37, 41.
Playden, Annie, 40.
Poincaré, Raymond, 8, 19, 31, 38, 59, 169-170, 172, 183, 186.
Pourtalès, Mélanie, comtesse de, 48.
Prévost, Marcel, 84.
Proust, Marcel, 110, 180, 185.
Psichari, Ernest, 34, 53-59, 163, 180, 184.
Puccini, Giacomo, 47.

Quiévrecourt, Jeanne de, 108.
Quiévrecourt, Yvonne de, 106.

Rachilde, *voir* Marguerite Vallette.
Radiguet, Raymond, 179.
Ravel, Maurice, 47-49.

Reinach, Joseph, 55, 127.
Réju, Gabrielle Charlotte, dite
    «Réjane», 15-19, 183.
Réjane, *voir* Gabrielle Charlotte
    Réju.
Renan, Ernest, 55.
Renoir, Auguste, 72.
Resnais, Alain, 177.
Rictus, Jehan, 98.
Rivera, Diego, 71.
Rivière, Isabelle, 107.
Rivière, Jacques, 49, 105-110,
    163.
Rivière, Marc, 108.
Rochette, Henri, 147-148.
Romains, Jules, 39.
Rosenthal Ehzman, Jennie, 72.
Rosny, *voir* Joseph Henri Honoré
    Boex.
Rouault, Georges, 100.
Rouché, Jacques, 90.
Rousseau, Henri, dit le
    «Douanier Rousseau», 40.

Saint-Saëns, Camille, 48.
Sarcey, Francisque, 89.
Satie, Erik, 47.
Savignon, André, 104.
Schlumberger, Jean, 58.
Schmitt, Florent, 47.
Sée, Edmond, 161.
Seignobos, Charles, 32, 55.
Sembat, Marcel, 154.
Severini, Gino, 71.
Shakespeare, William, 93.
Simon, André, 179.
Souday, Paul, 93, 110.

Souvestre, Pierre, 132-137.
Starace, Gino, 133.
Stein, Gertrude, 72.
Stein, Leo, 72.
Stein, Michael, 72.
Stein, Sarah, 72.
Stravinsky, Igor, 47-49, 181, 184.
Survage, Léopold, 71.

Tailhade, Laurent, 98.
Tarde, Alfred de, 34, 57-58.
Tharaud, Jean, 125.
Tharaud, Jérôme, 125.
Thomsen, Agnès, 89.
Train, Émile, 81.

Uhde, Wilhelm, 73.

Vallès, Jules, 100.
Vallette, Alfred, 99.
Vallette, Marguerite, dite
    «Rachilde», 93, 99.
Van Dongen, Kees, 40, 71, 74.
Vauxcelles, Louis, 74.
Védrine, Jules, 81.
Villain, Raoul, 172.
Virgile, 22.
Viviani, René, 172, 174, 186.
Vlaminck, Maurice de, 70.
Vollard, Ambroise, 71, 73.
Voltaire, François-Marie Arouet,
    dit, 145.

Wagner, Richard, 42.
Werth, Léon, 105.

Zola, Émile, 54, 58, 97

TABLE ET CRÉDITS
DES ILLUSTRATIONS

14   Affiche du film *Alsace* adapté de la pièce de Gaston Leroux et Lucien Camille en 1916, © Photo et coll. BNU Strasbourg/DR

20   Caricature parue dans *L'Humanité* le 21 février 1913 : «M. Maurice Barrès, qui est Auvergnat, désire qu'on le tienne pour Lorrain», © BNF

28   Charles Péguy, à droite, aux grandes manœuvres au camp de Bréau (Fontainebleau), 1913, photographie prise par Claude Casimir-Perier, © Roger-Viollet

36   Apollinaire pendant son procès pour complicité de vol avec l'aventurier belge Pieret, novembre 1913,© Collection Dupondt/AKG-Images

44   Danseuses du *Sacre du printemps*, création d'Igor Stravinsky par les Ballets russes de Serge de Diaghilev, chorégraphie de Vaslav Nijinsky, Paris, Théâtre des Champs-Élysées, mai 1913, © Roger-Viollet

52   Ernest Psichari à dos de chameau en 1906, pendant la mission dirigé par le capitaine Eugène Lenfant au Tchad, © Musée de la Vie Romantique/Roger-Viollet

60   *Arsène Lupin, gentleman cambrioleur*, couverture du roman de Maurice Leblanc illustrée par Léo Fontan, éd. Pierre Lafitte, 1914, © Selva/Leemage

68   Juan Gris, *Nature morte au livre*, 1913 Huile sur toile (H. 0,46 ; L 0,30), collection Kahnweiler, Musée d'art moderne, © AKG-Images

76   «Roland Garros traverse la Méditerranée», photo parue dans le journal *La Vie au grand air* daté du 27 septembre 1913 avec, en haut à droite, le parcours de l'aviateur, ©Selva/Leemage

86   Les comédiens du théâtre du Vieux-Colombier au Limon (Seine-et-Marne) chez Copeau pendant l'été 1913, ©Rue des archives/PVDE

94   Couverture du tome IV du journal de Léon Bloy commencé à la veille de la Grande Guerre, *Au seuil de l'Apocalypse*, publié en 1916, © BNF

TABLE ET CRÉDITS DES ILLUSTRATIONS

102 Portrait d'Alain-Fournier en 1913, peinture de 1936 à partir d'une photographie de 1913, © Bourges, musée Alain-Fournier, Lycée Alain-Fournier

112 Les Félibres assistant à la première partie de rugby dans le parc du Lycée, panneau gauche de la fresque peinte par Octave Guillonnet en 1899, parloir du lycée Lakanal (Sceaux), © Rue des archives/CCI

120 «Le rêve suprême du grand patriote», couverture du supplément illustré du *Petit Journal* paru le 15 février 1914, © BNF

130 Affiche du film *Fantômas. Le Policier apache*, sorti en salles en février 1914, © Collection Christophel/Gaumont

138 Portrait d'André Gide par Jacques-Émile Blanche, 1912, © AKG-Images/De Agostini

146 «La commission d'enquête sur l'affaire Rochette: déposition de M. Fabre, procureur général», couverture du supplément illustré du *Petit Journal* paru le 5 avril 1914, © BNF

156 Paul Claudel avec l'acteur, metteur en scène et directeur de théâtre Aurélien Lugné-Poë sur la scène du Théâtre de l'Œuvre, lors des répétitions de la pièce *L'Otage* en juin 1914, © Rue des archives/Tallandier

164 Une du journal *La Croix* du 2-3 août 1914 annonçant l'assassinat de Jean Jaurès ainsi que les déclarations de guerre de l'Allemagne à la Russie et de l'Autriche-Hongrie à la Serbie, © Rue des archives/Varma

TABLE

7   Introduction

1913

15   Alsace! Alsace!

21   Barrès sur la colline

29   Péguy contre Jaurès

37   *Alcools*

45   Le Massacre du printemps

53   L'Appel de Dieu et des armes

61   *Les Confidences d'Arsène Lupin*

69   Le beau tiercé de Kahnweiler

77   Roland Garros franchit la Méditerranée

87   Naissance du Vieux-Colombier

95   Les fulminations de Léon Bloy

103   Alain-Fournier rate le Goncourt

1914

113 Le rugby plutôt que la guerre!

121 La fin de «Barbenzingue»

131 Fantômas au bal masqué

139 Gide le provocateur

147 *La République des camarades*

157 Succès pour Paul Claudel

165 «Adieu, Jaurès!»

175 Épilogue. Que sont-ils devenus?

183 Quelques dates

187 Lectures

191 Index des noms

196 Table et crédit des illustrations

DU MÊME AUTEUR

Histoire politique de la revue « Esprit »
1930-1950
Seuil, « L'Univers historique », 1975
rééd. sous le titre
« Esprit »
Des intellectuels dans la Cité, 1930-1950
« Points Histoire » n° 200, 1996

La République se meurt
Chronique, 1956-1958
Seuil, 1978
Gallimard, « Folio », 1985, 2008

Mémoires d'un communard
(présentation, notes et postface)
La Découverte, 1981, 2001

La Fièvre hexagonale
Les grandes crises politiques, 1871-1968
Calmann-Lévy, 1986
Seuil, « Points Histoire » n° 97, 1999, 2009, 2012

Chronique des années soixante
Le Monde/ Seuil, « xxᵉ siècle », 1987
et « Points Histoire » n° 136, 1990

1789, l'année sans pareille
Le Monde/ Orban, 1988
Hachette, « Pluriel », 1990
Perrin, « Tempus », 2004

Nationalisme, antisémitisme
et fascisme en France
Seuil, « Points Histoire » n° 131, 1990, 2004, 2014

L'Échec au roi
1791-1792
Orban, 1991
Le Livre du mois, 2011

Le Socialisme en France et en Europe
XIXᵉ-XXᵉ siècle
Seuil, «Points Histoire» n° 162, 1992

Les Frontières vives
Journal de la fin du siècle (1991)
Seuil, 1992

Parlez-moi de la France
Plon, 1995
Seuil, «Points» n°P336, 1997
rééd. sous le titre
Parlez-moi de la France
Histoire, idées, passions
Perrin, 2010

Le Siècle des intellectuels
Seuil, 1997
et «Points Histoire» n° 364, 1999, 2006
Prix Médicis essai 1997

1914-1918
raconté par Michel Winock
Perrin, 1998, 2008, 2014

La France politique
XIXᵉ-XXᵉ siècle
Seuil, «Points Histoire» n° 256, 1999, 2003, 2014

Les Voix de la liberté
Les écrivains engagés au XIXᵉ siècle
Seuil, 2001
et «Points Histoire» n° 430, 2010
Prix R. de Jouvenel de l'Académie française

La Belle Époque
La France de 1900 à 1914
Perrin, 2002
et «Tempus», 2003

Jeanne et les siens
Seuil, 2003
et «Points» n°P1263, 2004, 2013
prix Eugène-Colas de l'Académie française

La France et les Juifs
De 1789 à nos jours
Seuil, «L'Univers historique», 2004
et «Points Histoire» n° 350, 2005
prix Montaigne de Bordeaux

Victor Hugo dans l'arène politique
Bayard, 2005

Pierre Mendès France
Bayard/BnF, 2005

L'Agonie de la IVe République
13 mai 1958
Gallimard, 2006
et «Folio Histoire» n° 206, 2013

La Gauche en France
Perrin, «Tempus», 2006

La Gauche au pouvoir
L'héritage du Front populaire
(en collaboration avec Séverine Nikel)
Bayard, 2006

Clemenceau
Perrin, 2007
et «Tempus», 2011
prix Aujourd'hui 2008

1958, la naissance de la Ve République
Gallimard, «Découvertes», 2008

L'Élection présidentielle en France
1958-2007
Perrin, 2008

Le XXe Siècle idéologique et politique
Perrin, «Tempus», 2009

Madame de Staël
Fayard, 2010
Pluriel, 2012
prix Goncourt de la biographie 2010
grand prix Gobert de l'Académie française 2011

L'Effet de génération
Une brève histoire des intellectuels français
Éditions Thierry Marchaisse, 2011

La Droite
Hier et aujourd'hui
Perrin, 2012

Flaubert
Gallimard, 2013

EN COLLABORATION AVEC JEAN-PIERRE AZÉMA

Les Communards
Seuil, 1964
éd. revue et complétée, 1971

Naissance et mort de la IIIe République
Calmann-Lévy, 1971
éd. revue et complétée, 1976
rééd. sous le titre
La Troisième République
Hachette, «Pluriel», 1978, 1986

OUVRAGES COLLECTIFS

Pour la Pologne
Seuil, 1982

Pour une histoire politique
(sous la direction de René Rémond)
Seuil, «L'Univers historique», 1988
et «Points Histoire» n° 199, 1996

«Jeanne d'Arc»
in Les Lieux de mémoire
(sous la direction de Pierre Nora)
tome VIII, Gallimard, 1992

Histoire de l'extrême droite en France
(direction de l'ouvrage)
Seuil, «xxe siècle», 1993
et «Points Histoire» n° 186, 1994

La France de l'affaire Dreyfus
(sous la direction de Pierre Birnbaum)
Gallimard, 1993

Dictionnaire des intellectuels français
(codirection de l'ouvrage avec Jacques Julliard)
Seuil, 1996, 2002

Les Cultures politiques
(sous la direction de Serge Berstein)
Seuil, «L'Univers historique», 1999
et «Points Histoire» n° 317, 2003

HISTOIRE DE LA FRANCE POLITIQUE

(sous la direction de Serge Berstein, Philippe Contamine, Michel Winock)

1. Le Moyen Âge
(sous la direction de Philippe Contamine)
Seuil, «L'Univers historique», 2002
et «Points Histoire» n° 367, 2008

2. La Monarchie
entre Renaissance et Révolution
(sous la direction de Joël Cornette)
Seuil, « L'Univers historique », 2000
et « Points Histoire » n° 368, 2008

3. L'Invention de la démocratie
(sous la direction de Serge Berstein et Michel Winock)
Seuil, « L'Univers historique », 2003
et « Points Histoire » n° 369, 2008

4. La République recommencée
(sous la direction de Serge Berstein et Michel Winock)
Seuil, « L'Univers historique », 2004
et « Points Histoire » n° 370, 2008

RÉALISATION : PAO ÉDITIONS DU SEUIL
IMPRESSION : CORLET S.A. À CONDÉ-SUR-NOIREAU
DÉPÔT LÉGAL : MAI 2014. N°113758 (163048)
Imprimé en France